こちら葛飾区亀有公園前派出所⑧

秋

こちら葛飾区亀有公園前派出所⑧

目次

神をも恐れぬ男の巻

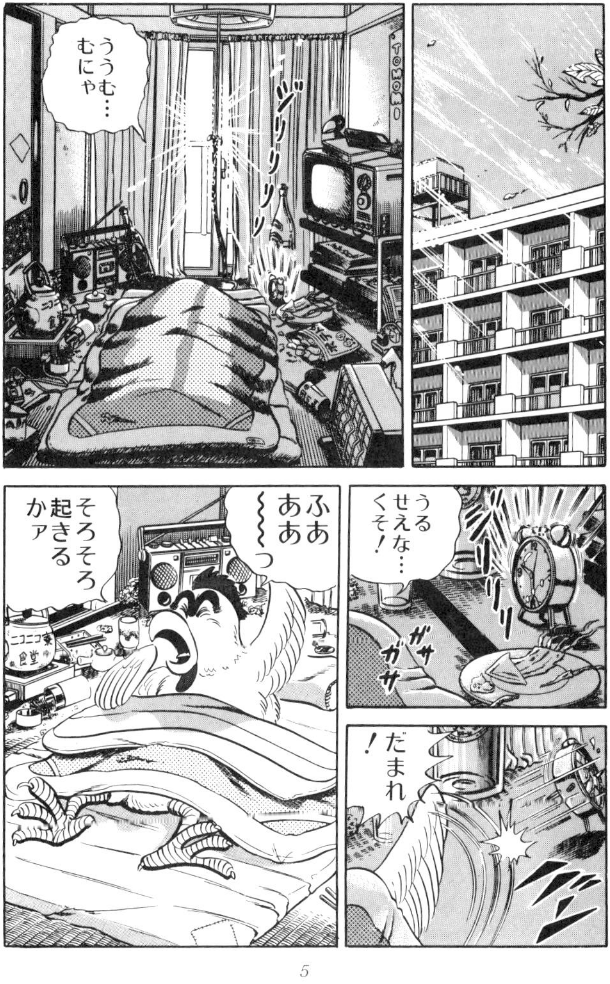

神《かみ》をも恐《おそ》れぬ男の巻《まき》
ん!?
なんだこりゃ!?
あっ!!
こ…これは!
ぎゃあ!!
うわあニワトリだ!?

BOSC
BP
うーむ なんてこった!!
ひと晩寝たらニワトリになっているとは…!?
ガヤ ガヤ
なに見てるんだてめえら!
見せ物じゃねえぞ! あっち行け!!
うわあ!!
ひゃあ

なぜニワトリに変身してしまったのだろう
う〜〜〜む
全然身に おぼえがないな… なぜなんだ?
時間がない考えるのはあとにしよう!
とにかく出勤しないとまずい
Police Box
キッ
くっそ〜っ足が短くて自転車が乗りづらかった
これからはサドルをもっと低くせんといかんな

この姿で入って行ったらびっくりするだろうな!
部長などショック死するかもしれん…
かと言って無断欠勤になるのもこまる!
キュッ
この際とぼけていつものように入っちゃおう!
みなさんおはよう!
おはようございます先輩!
またちこくしてきたか!
部長おはようございます!
うむ!おはよう
部長殿おはようござい…
くどい!一度言えばわかる!!
あの…私を見て何か感じませんか?
おまえなど見て感じることなど何もない!

麗子《れいこ》！わしの姿 いつもと ちがうと 思わないか？
え!?
全然 変わらないわよ！ いつもの 両《りょう》ちゃん じゃない!!
そ…そうかな？
やはり… わしの 思いちがい だったのか？ そうかあ…
寝ぼけて ニワトリに なったと 勘ちがいして たんだな きっと！
すみません 道を！
はいはい なんでしょうか？
ぎゃあああ

やはり夢じゃない ニワトリになってるんだ うーむ…
トン
はい お茶
これは何かある… わしにこんなマネをできる奴は…
コッコッ
あいつだ… あいつしか考えられん…
くちばしがジャマで飲めん! くそ!!
用事ができた! ちょっと出かけてくる!
両ちゃん今日は ずいぶんあれてるわね?
おなかでもすいてるんじゃないの?
天国
パタパタ
パタパタ
門前仲町
門前仲町

天国
くっ もう ちょい!
あと 1メートル!
パタ パタ パタ パタ パタ
ぜいぜい やっと… 天国に ついた…
ぜい
ぜい
腕の 筋肉が つりそうだ! あーっ つかれた!
ぜい
ぜい
ぜい
休んでる ヒマはない! 一刻も はやく 行かねば!
あの じじいめ くそ!
ぜい
ぜい
天国警察
やい! 花山《はなやま》を 出せ!!
両津《りょうつ》が 会いに 来たぞ!!
みかん
花山課長!
また… あいつか… こりない 男だ…
なんだ? そのスタイルは? 欽《きん》ちゃんの 仮装大賞《かそうたいしょう》にでも 出るのか?
ちがう! おまえが 変身 させたん だろうが!

バカ言え！仕事がいそがしくておまえさんに魔法などかけるヒマもない！
うそをつけ！おまえら以外にわしを変身させられる奴はおらん！
しらばっくれてると頭かち割ってやるぞ！
いたたこら！よさんか！
花山課長！
ひょっとして〝神〟が変身させたのかも…？
なるほどその可能性は高いな！
くそはなせ！
おそらく〝神〟がおまえに魔法をかけたにちがいない
なに〝神〟だと!?
天国に住む我われの頂点には 全人類・宇宙を支配する〝神〟がおられるのだ天国警察でも地球に関する資料を毎年〝神〟に とどけておる
その中で目にあまる人物を木や岩に変えてしまうのだおまえは その警告として動物に変えられてしまったのだ
でも中川《なかがわ》たちは変身したのに気づかなかったぞ!?
〝神〟の情けで派出所の仲間には昔の姿で目にうつってたのだろう！
事情はわかったからさ！おじいさんの魔法で元の姿にもどしてよ！ね！
〝神〟の魔法は我われの力じゃどうすることもできんあきらめなさい！

バカ野郎！
こんな姿で
うろついてたら
フライドチキンに
されちまうぞ！
やっとの思いで
天国まで
飛んで来たんだ
なんとかしろ！
こら！
よさんか！
あいたた！
わかった！
〝神〟に会えるよう
努力は
してみよう！
ただし
元に
もどして
くれるかどうか
わからんぞ！
そんなに
〝神〟って
えらいのか？
ほっほっほっ
そのほう
改心したと
申すわけかえ！
今後は
二度と悪さを
しないか？
〝神〟のくせに
パンチパーマ
しやがって！
でかい
頭だな
こいつ…
頭を下げて
たのまぬか！
こら！

こ…これが〝神〟か…
す…すごい迫力だ!
もちろん天国警察の名誉にかけて良い人間にいたします!
〝神〟に誓ってウソはならぬぞえ
仏の顔は三度までだが神は一度しかあやまちはゆるさんぞえ
なにとぞこの男を元の姿に…
はは心得ております!
よろしい!二度と悪さをするでないぞえ
もどった!
ありがたきしあわせでございます!
ほっほっほ
!!

つぎ 1492番!!
はい
いててて
なにひっぱるんだよ!
なんだよ! あんなペコペコ頭下げさせやがって!
相手をだれだと思ってるんだ〝神〟だぞ!!
口をつつしめ!
おまえのいる地球などいつでも消滅できる力のあるお方だ!
会っていただいただけでも光栄に思いなさい!
わしをニワトリにしやがって…おぼえていろ!
〝神〟だろうが〝仏〟だろうがわしはぜったいゆるさんからな!
地獄
なに! 今度は〝神〟のいる〝楽園〟を襲撃するだと!!
なまいきな〝神〟を成敗してやるんだ! 力を貸してくれよ!

〃神〃にさからうことなどとてもできん！そんなバチ当たりな行為は絶対にダメだ！
わしが責任もつから大丈夫だって！
たのむ！あんたがやるのは勝手だが！私まで仲間に入れないでくれ！
ゴプ
エンマ大王《だいおう》まで尻ごみをするとは…
じゃあ地獄にいる悪魔を五、六人かしてくれ？
なに!?悪魔を…？
グオルルここから出せ!!
うおおおっ
うむ…なかなか凶悪そうで使えるな！
ぐおおっ
ガキ
ぐるるる
本当にやる気かい…あんた？
今からおまえらを自由にしてやる
その代わりわしといっしょに〃神〃を成敗しに行くんだ！
えっ!?〃神〃を!?
じょうだんじゃない！やだ!!
なさけない悪魔だ
この中にいたほうがマシだ！

用意はいいな！いくぞ!!
こんなバチ当たりなことをしていいのだろうか？
神をも恐れぬ人だ…
突撃開始!!
どうしたのかえ？ちとさわがしいのう？
はいそれが！

何者かが侵入しりんご園を攻撃しております
ガヤ
ガヤ
ほっほっほっそうかそうかすておけばよい!
そ それが大本山に火を放ち一面を火の海に…
なんだと!!
やい!"神"両津がお礼まいりに来てやったぞ!
ジジ
どこにかくれてやがる!出てこい!
ゴゴゴ
ドガガガ
ドガガガガ
もうやけだ!どうなってもしらない!
ぬおおおおおお
おっ
おおっ
神がお立ちになったぞ!!
ガヤ
ガヤ
10万年ぶりに立った!!

言《ごん》語《ご》道《どう》断《だん》
馬《ば》耳《じ》東《とう》風《ふう》
年《ねん》功《こう》序《じょ》列《れつ》
終《しゅう》身《しん》雇《こ》用《よう》
地《ち》価《か》狂《きょう》乱《らん》
無《む》策《さく》政《せい》治《じ》
カカッ
うっ 雨が火を消すぞ!
ついに出てきやがったな!
ずどどどおん
ぐわっ
きゃあ
侵入者は消滅しました
うむ
〝神〟にたてつくとはおろかな行為だぞえ
神

ちくしょう…まだまだ勝負はついちゃいねえぞ…
あんた人間なのによく生きてるな…ふしぎだ?
まだやる気らしいよ
おい起きろ!
ん?
あっおまえは!?
やっと起きやがったか
あっ!? なんてことをするのかえ!?
奇襲からゲリラ作戦に変えたんだよ!
寝てる間におまえの仲間は みんなしばりあげた!
こんなことをしてただですむと思ってるのかえ!!
上等だよやれるものならやってみろ!
こっちはおまえの"ひみつ"をしってるんだからな!
な…なに!?

おまえの頭はカツラだ!!
し…しまった!!
なに人も"神"に触れるのさえ恐れてたのでごまかせていたのに…
初めて見た時頭が でかくてどうも不自然だと思っていたんだ
"神"はハゲ頭だったと世界中にばらしてやるからな!
やめてくれ威厳がなくなってしまう! たのむ!
わしをニワトリに変えやがってこいつ!
さんざんハジをかいたぞ!
そうか! すまなかった! ゆるせ!
あやまり方がすご〰くえらそうだな!
あっ! どうもすみませんでした! かんべんしてください! おねがいです!
よし! その代わりわしの条件を聞くんだぞ
そりゃあもうなんでも!
東京《とうきょう》の銀座《ぎんざ》にわしの土地を100坪よこせ! それを元に商売する!
わかりました言う通りにします!

★週刊少年ジャンプ1987年48号

スキヤキ万歳《ばんざい》の巻《まき》

へっくしょん!
ヒョオオオオ
今夜はいちだんとひえるな!
天気予報でもこの冬一番のさむさになると言ってましたからね
よりによってこんな日に夜勤とはついてねえなぁ!
ジャンプ

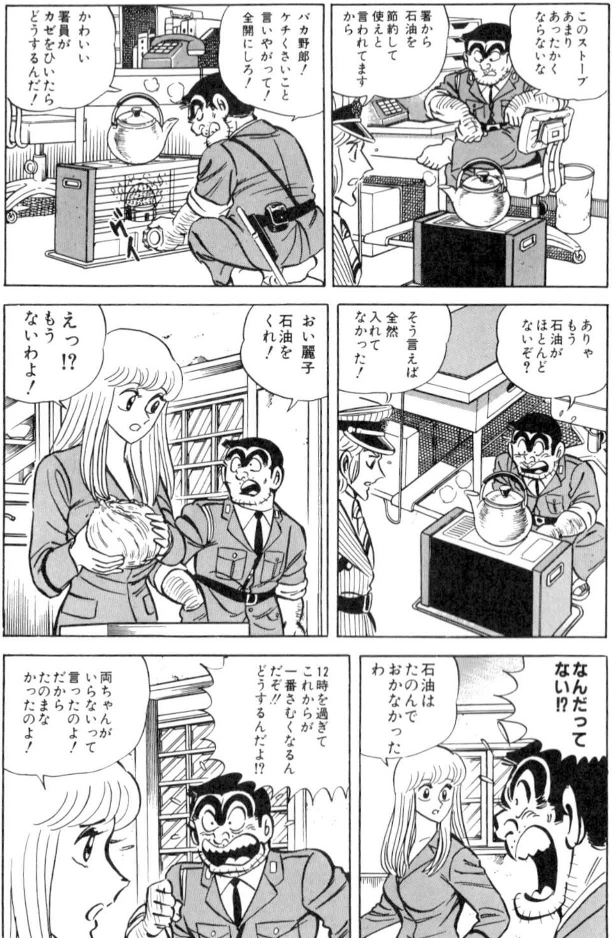

このストーブあまりあったかくならないな
署から石油を節約して使えと言われてますから
バカ野郎！ケチくさいこと言いやがって！全開にしろ！
かわいい署員がカゼをひいたらどうするんだ！
ありゃもう石油がほとんどないぞ？
そう言えば全然入れてなかった！
おい麗子石油をくれ！
えっ!?もうないわよ！
なんだってない!?
石油はたのんでおかなかったわ
12時を過ぎてこれからが一番さむくなるんだぞ!!どうするんだよ!?
両ちゃんがいらないって言ったのよ！だからたのまなかったのよ！

たとえ ワシが言っても女なら 気をきかして石油を備蓄しておけよ! それが内助の功ってモンだろ!
わたしは両ちゃんの奥さんじゃないわよ
女と口あらそいしてもダメだ! らちがあかん!
どうします先輩?
中川 おまえの車で駅前派出所まで行って 石油をかっぱらってこい!
えっ!? かっぱらって来るんですか?
あの派出所は新人警官だけで夜勤してるはずだ! 大丈夫!
しかし… 今度はむこうがなくなりますよ
後輩が先輩をたすけるのは当然の義務だろうが!
でも… 気の毒で…
気の毒もクソもあるか! 弱肉強食の世界だぞ!! さっさと行ってこい!
はい! わかりました!

ブオオオオ
新入りなら『どうぞ この石油を使ってください』ってもって来るのがあたり前だ!
わざわざとりに行ってやるだけ感謝するべきだぞ!
おや!?
クンクン
いいにおいが!!
麗子 何作ってるんだ?
夜食の用意をしてるのよ スキヤキよ
なに スキヤキだって!!
いつもラーメンばかりでしょう たまには豪華にしないとね!
トーン

いやあ さすが! 麗子ちゃん!
前からキミは いい人だなァと 思っていたよ!
夜勤と言えば いつも カップラーメンの生活 だったからな! 35種類全部 食べつくして あきていた所 なんだ
女性との 夜勤は これだから 好きなんだよ うん!
男同士 むかいあって カップラーメンを 食べてる姿は 不気味で なんとかしなきゃと 前まえから 考えてたんだ!
・・ お皿出して もらえる?
いやあ 肉なんて なんか月ぶりかな? 夜勤やって よかった!
うひょう! おいしそう!
グツ
グツ
最高級のお肉よ 部長さんからの さし入れなのよ! 栄養つけて 夜勤がんばれって!
あんな部長でも いい所あるな! いただきまーす!

すみませーん!!
だれか来たわよ
食事中にまったく!
なんの用だ!
タクシーの中でお客さんが酔いつぶれちゃって行き先が　わからないんですよ!
なるほど! 完全に酔いつぶれているな
赤坂《あかさか》から乗せて来たんですがね この近くに家があるらしいんですが この状態では…
交番であずかってくださいよ! ひと晩!
バカ言うな! こっちだってこまる!
なんとか家を聞き出して家まではこんでやれ! おい起きろ!
ムリですよ! 全然起きませんよ!

こいつを乗せた元の位置に置いていったらどうだ?
このさむさではこごえてしまいますよ
とにかく置いて行きますから!
まて! 思い出したぞ! この男は酒屋の長男だ!
いやあ思い出してよかった! よかった!
この先50メートル行った左に酒屋があるそこが家だ!
本当でしょうね!? おまわりさん
酒屋の入口は裏にもあるちゃんととどけろよ
いやあおまたせ! おまたせ!
本当に酒屋の人だったんですか?
あそこの家の人のよさは町内一だ! 酔っぱらいをひと晩泊めるくらいなんでもない!
いいかげんなんだから!

せっかくのスキヤキに酒がないのはさみしいな
もって来るわね
ざんねんねもう全然ないわ！
うーむ…ないと思うとよけい飲みたくなる！
ちょっと酒を集めてくる
せわしない人ねスキヤキを食べるヒマもないわね
酒を買うでなく集めると言ったのが気になるな
すんません！そこで道路工事やってる者ダスが！
ちょっとトイレかしてもらえるべか？
ええどうぞ!!

やってる
やってる!
ああいう所に
酒は　つきものだ!
自警団本部
火の用心
よう!
がんばってる
ね!
やあ
両さんじゃ
ないか!
両さんも
おなじ夜勤か
大変だね
ワシらは
夜勤が
商売だから
な!
ははは
ちがい
ない!
お茶でも
飲んで
いきなよ
おう
サンキュー
!!
本当に
さむい
!
スポッ
このまま
さむくなり
つづけると
今年の八月
あたりは
さむさのピークに
なるぞ
ゴボ
ゴボ
まさか
!
わははは

おっと いけね！ 用事を 思い出した！
すぐに もどら ないと！
来たと 思ったら すぐ帰って 行っちゃった!?
なんの 用事で 来たのかな ？
いやあ バッチリ 一升全部 吸いとって やったぞ！
これで おいしく 食べられる
なに！ スキヤキが なくなった!?
Robot Police Box
ROBOT POLIOE
工事の人たち 食事も とらずに 働いていたから 「よかったら どうぞ」と 言ったのよ！ そしたら ほとんど…
おこらないで ください 先輩！ 麗子さんは 善意でやった ことなんですから！

!!うわっ
ポトッ
うっうっ…一年ぶりのスキヤキ…たのしみに…してたのに…
それだけがたのしみで一所懸命勤務してたのに…
先輩！肉以外ならまだのこってますから！食べてください！
そ そうよ両ちゃん野菜のほうがビタミンがあるわよ
すごく悪いことしちゃったわね
うっうっうっ
これほどスキヤキに情熱をかけていたとは思わなかった
わたしお肉を買って来るわ！
今から？夜中の三時だよ！
肉を買うのか!!よし！ワシが買ってくる!!
大丈夫!?

24
ストアー
24
ストアー
うーむ
ダメだ！
スキヤキ用は
もっと高級な
肉でないと！
美食家の
わしの口には
合わん！
やはり肉は
専門店に
かぎる！
肉の肉丸
おいしいお肉！
おまえさん
だれか
来たよ
こんな
夜中に
…
おい
あけろ！
警察だ
!!
はやく
しろ！
あっ
その声は
！

う〜 さぶい! なんだい 両さん!?
スキヤキ用の 肉400グラムを 買いに来た!
正気かい? 午前四時 だよ 明日にして くれよ
ダメだ! どうしても 今 必要なんだ はやく売れ!
ワシらは治安維持 のため 夜中も がんばってるんだぞ! おまえも協力しろ!
わかった わかった!
バタッ
しもふりの 上等な部分を よこせよ! 住民の 平和を守るため 栄養をつけねば ならん
うちの 平和も 守って ほしいよ!
やったあ!! これで ゴージャスな スキヤキが 食べれるぞ!
肉の 新鮮さ 100%だ!
ぬおっ!!
いてて! 年度末恒例の 道路工事か!
あっちこっち 掘りまくり やがって ちくしょう!

肉が ぶじだったのが不幸中の幸いだ!
あっ!!
まて!この野郎!
おまえごときが食べられる肉とは わけがちがうんだぞ!その肉は!
にがすか!
400グラム5,000円もする上等なモンだぞ!
ぜったいとりかえす!
こいつめ!!

ぐおっ!!
くそ!
あっ 肉がバラバラに!
流されてしまった!
一枚でも多く…
あっ!!
パク
この期におよんでまだ食べる気か!
こら! はきだせ おい!
キャン
キャン
根性に免じて一枚だけやるか!
うす暗くてどれが肉かよくわからん
バシャ
こんな小さい肉あったかな……
ネズミの死骸だ! 気持ち悪い!!
ちくしょう!

どうしたの そのかっこうは!?
野良犬と ドブの中で 肉のうばい合いを やって来た!!
その‥肉を 食べるんですか!?
あたり前だ 寒中の ドブで 死ぬ思いで 集めたんだ からな!
今 お湯を 用意するから 体洗った ほうがいいわ
そうする ドブくさくて たまらん
先輩! この肉…
なん度 言ったら わかるんだ 食べると 言ったら 食べる!
肉の間に スリッパが 入って ましたよ
それも トイレ用の!
いいから! 洗って火を 通せば 大丈夫だよ!
さっさと 洗って こい!
こっちのは ゴムゾウリの 切れはし ですよ
いちいち そこで 調べるな! 奥でやれ 奥で!

なんだ!? それっぽっちに なっちゃったのか?
あまりにも 目にあまる 部分を切り 落としたんです
なんだか わからない肉も 入ってたので すてたわよ
ドブのにおいが とれないので 肉全体を そいでおきました
うすい肉に なってしまった むこう側が すけて見える
プラ
スキヤキの おつゆが 少ないぞ!
あっ いけない!!
全部使っちゃった! お醤油も全然 ないわ! ごめんなさい
肉が あっても タレなしか!
ソースでも いいから もってこいよ 味がないと 食えんだろ!
はい!
スキヤキから ずいぶんと かけはなれて しまった気が するな
こげて ますよ 先輩!
ジュウウウ

しまった!
肉が全部はりついてしまった!とれん!
これではがして食べたら?
ジュウウウウ
お好み焼きだまるで!
Robot Police Box
ROBOT POLICE
夜勤ごくろう!どうだった幻とよばれるほどの特上肉の味は?
最高でしたよ食べた味を表現できないほどの幻の肉でしたよ!
そうだろうおまえなどもう一生口にできんぞわははは!!

★週刊少年ジャンプ1988年13号

ワクワク忘年《ぼうねん》旅行の巻《まき》

両津は 後ろの 2号車に 乗っているのか?
いいえ! 集合時間には まだ 寝ていたみたいよ
圭《けい》ちゃんが 車で むかえに 行ったわ 直接 現地に 行くって!
あいつに 集合時間を 知らせても ムダだからな
生まれて から一度も 守ったことが ありません ぜ!

なんで もっと はやく 起こさなかった? バカもの!!
『心配いらん』と きのうは 言ってたじゃ ないですか!!
署の旅行費には 行きのバスの中で 飲む酒代も ふくまれて いるんだぞ!
それが パアだろ!
だったら ちゃんと 起きてくださいよ
おまえが気を遣い はやく来て 起こすべきだ!
ちょっと あぶない!
うわっ
ひっ!!
高速運転中は やめてください! この車は ハンドルが シビアなんです から!
まだバスに 追いつかんのか もっとスピード 出せ!
300キロ出して いるんです よ!!
ほら バスが 見えて きた!

おーい
そのバス
止まれ！
わしを
わすれて
いるぞ！
乗せろ！
高速道路で
止められる
わけない
だろうに！
まったく
おもしろい
からかって
やろうぜ！
おーい
はやく来ないと
酒が なくなる
ぞ！
まて こら！
わしの分まで
飲むな！
両ちゃん
やっと
追いついた
みたいよ
中川も
・・・
バカのおもりで
大変だな
両津が
いないから
今年は
酒が
あまって
るぜ
まっ
着くころには
全部
なくなる
けどな
へへへ
いやあ
お気の
毒！
いい
度胸
してるぜ
おまえら！
バタッ
何する
気です
先輩！
できるだけ
バスに
よせて
走れ！
まさか!?

げっ!! こっちのバスへ とびうつる 気だ!?
両さん! やめろ! 悪かった!
ひい! 乗りうつったあ!
バカ! ふざけるな!
今さら あやまっても おそい!
窓を 全部 しめろ!
車内に 入って 来るぞ!
両ちゃんが 2号車の 屋根に のぼってるわよ!
なんだと!
運転手さん! スピードを上げて ふり落として!
ふり落とせ なんて! そんな! あんた!
いいから はやく!
ぬっ
ひっ!!

ガ
シャッ
山下《やました》！
宮地《みやじ》！
野口《のぐち》！
どこだ？
一歩 前へ
出ろ！
こら！
うわっ
来たあ!!
ひいぃ！
両さん！
シャレ
だって
シャレ！
ひぃぃっ
両さんの分
ちゃんと
とっといて
あるよ！
ほら！
きっと
来ると思って
まって
いたんだ
うん！
もう
手おくれだ
この野郎
！
バキ
ボカ
ぎえ
ええ！
ゲシ
ガシャン
ぐわぁ
！
もう！
すぐ
ケンカに
なるんだから
ガヤ
1号車に
乗っていて
助かったよ

温泉旅館
旅館
ピーポー
ピーポー
ホテル早川
山下たち
旅館に着いたとたん
病院行きとは
気の毒に！
口は
災いの
元だな
部長
会えて
よかった
ですね
こっちは
会いたく
ない！
すげーっ
ずいぶん
いっぱい
来るんだな
これから忘年会の
シーズンです
からね！
部屋割り表が
とどいたら
各部屋に
荷物をおいて
きてください
2時に
このロビーに集合
して　市内観光
しますから
ガヤ
ガヤ
ガヤ

なんでわしだけはなれのひとり部屋なんだ？
おまえはいびきもうるさいし同室の奴にめいわくかけるからな！
おい幹事！宴会はいつやるんだよ？
観光をしてからだから6時くらいからです
もっと はやくにやれよ！観光なんてくだらねえ
そうはいきませんよこの温泉街には見る所がたくさんあるんですから
ちょっとふたりきりで話し合おう
観光はぜったいしますよ
あれ幹事の、山田《やまだ》は？
両さんとむこうへ行ったよ
電話
あっ!?
みなさん予定が少しょう変わりました2時より宴会で市内観光は夜の12時から…
予定表
えーっ12時!?
ガヤ
ガヤ
おまえ 山田に何かしたか!?
とんでもない！ちょっと意見を言っただけですよ

うひょーっ やったあ! これぞ 宴会!!
こんな おはやい 宴会は初めて ですよ お客さん
あたぼうよ! 警察官は すばやく行動 せにゃ いかん!!
こら!
パ
ン
あいた!
大っぴらに警官だと 言う奴があるか! せっかく おしのびで 来てるのに!
いちいち 頭を たたか ないでください よ 脳みそが 驚く でしょうが!

ロボットのゆかた姿はさまにならんな
別に着なくてもいいんですけどね！
宴会料理食べられるのかよ？おまえら
ちょっとムリですね！
よしわしがなんとかしてやる
さすがたよりになるなあ
ガソリンとオイル…たしかにロボットには必要だけど…
OIL
OIL
ガソリン
宴会のムードとちがうな！
ではまず署長のあいさつから
いよっまってました！
パチ パチ パチ パチ パチ
パチ パチ パチ パチ パチ パチ パチ パチ
えーっ!!
おねえさん！おちょうしそばにおいといてよ！
あっ!!どうぞ！えんりょなくつづけてください！

えーっ!!
へーくしょん!
いやあ!さっきフロへ入ったからひえちゃってね!つづけてください!
流れを完全に止めてますね!
あいつだけ別室にすればよかったな
今日一日は職務を わすれたのしくやりましょう
かんぱい!
カンパイ
部長さん今日はたくさん 飲んでくださいね
スーパーレディーの麗子くんにおしゃくしてもらうとは来年はいいことあるな
両さん余興やれよ!
例の奴!やってくれ!!
早ばやとご指名いただき
ありやとやんした!
ワー

今回は卒配《そつぱい》したばかりの何も知らない婦警さんが2名いらっしゃいます！
婦警さんにはぜひ見ていただきたい！
ツルルン
ザ・ヘンタイ!!
きゃあ!!
ぶじ儀式がすみました！2度目は警戒されてダメという1回限りのすばらしい芸です
わはは
パチ パチ
ひょう！最高!!
わはは
パチ パチ
わははは
ははは
大広間のお客さんたちまだ宴会してるの？
もう6時間もつづいてるわよ
おい！あまってるなら酒をよこせ！
あっそれは！
なんだこりゃ！
宴会の気分を出すためにと・っ・くりにガソリンを入れて飲んでるんです！
変なマネするな！気もち悪い！

酒が足りないぞおい!!
幹事はどこだ!? 幹事は!
オーーッ
もう部屋にもどって寝てるみたいですが…
なに!
とんでもない野郎だ!
カギしめて寝たふりしてるぞ
なんだと!
電話で呼び出そうか!?
手っとりばやい方法がある! そこをどけ!
ガバッ
ぎゃあ!!
予算がもうないんですよォ! 宴会が長すぎます〜
それでもてめえ幹事か!
足りない分くらい自バラを切れ!
酒50本ビール10ダース追加だ! やったぜ!
オオ

いえーい!!
ジャンジャン追加したぞ!!
朝まで やろう!!
んわっほっ
あ…あれ…?
顔ぶれが…!?
両さん部屋が ちがうよ ここは銀行の宴会場だ!
なに!
金《かね》尼理《あまり》銀《ぎん》行《こう》様《さま》
どうりでお通夜みたいにしずかだと思った!
同じような部屋だからまちがえちゃったゴメン!
まったく下品な!
なに!
てめえらこそなんだ!
地価高騰の片棒をかつぎやがって!おかげで東京はメチャクチャになっちまったじゃねえか!

サラ金の時
といい 今度の
狂乱といい 全然
こりねえじゃ
ねえか!
くやしかったら
わしに金を
貸せ!!
一億くらい!
両さん
おちついて
!
ここだ!
わしらの
部屋は!
まったく
両津は仕事は
さぼるくせに
宴会だと
はりきりますね
課長!
どんなバカにも
ひとつくらい
とりえはある!
はははは
わしが
いないと思って
くそ!
ようし…
次の
出しものは
柔道の
新しい
型です!
・・
課長!
ちょっと
協力して
ください!
パチ
パチ
パチ
えっ
私が!!
まあ
型だけ
なら…
新米の
みんな!
柔道は基本
だから よく
見てなさい!
うりゃあ!

まだ!まだ!課長!!
課長はこっちだ!わしは係長だ!!
ガイ
どりゃあ!
ぎゃあ!!
となりの連中やかましい奴らだな!
ちょっと言ってこい竜《りゅう》!
安《やす》!しろうとのびびらし方をおしえてやるついてこい!!
へい!アニキ!

バカ野郎！やかましいぞ！わりゃあ！
わしゃあ集英組《しゅうえいぐみ》の竜だあ！文句あっか！
しーーん
見たか！ひと声でこのしずけさだぜ！
さすがアニキの貫ろくですね！
集英組の竜と言えば指名手配中の犯人だぞ
ザワ ザワ
自分から名乗って来るとは…
手から一番乗り！
てめえご用だ！
な…なんだ!? おまえ!?
警察官ご一行様の宴会場だぜここは！
しまった！
ぎええっアニキたすけて〜!!

どこに泊まってるんだはけ!こら!
と となりの部屋です…
ギリッ
おお!花札とばくの現場だ!
うごくな警察だ!
ななんだと?なぜ ここに!?
うわあ!にげろ!
バン
ひとりもにがすな!
うわっ
ダダ
ガバッ
きゃあ
うおりゃあ!!
うわっ
ガッ
うわぁ
ドガッ
ガシャ
ドガッ
バーン

★週刊少年ジャンプ1987年52号

テレビでこんにちは!の巻

どうしたんですか⁉ 先輩⁉ 就職情報誌など読んで⁉
警官をやめる気なの？ 両ちゃん？
な なんだよ？ ワシがこういうのを読んじゃいけないのか？

バイトしないと生活が できないんだよ! 現金が1円もないんだ!
週刊 バイト自身
生きのびるために金の入るバイト先をさがしている所だ!
そう言えば今年は減給の上ボーナスカットという悲惨な生活をしてたんでしたね
ひと月300円しかくれないんだぞ! うちの署は!
小学生のおこづかいより少ないわね…
多少やばいアルバイトでもこのさい 金のために目をつぶろう! えーと…
辞典
あった!
日給2万円 能力不要 力仕事! 体力に自信のある男子! ワシにピッタリのバイトだ!
それ コンピュータの会社ですよ ふつう 力よりもアイデアを出したり頭を使う会社のはずですが!
御用
御用
うーむ… そう言えばそうだが… このさい そういう疑問は気にしないことにしよう
週刊

INC
イベントネットワークコーポレーション
INC イベントネットワークコーポレ
今日の仕事は 役員会議一件 クラス会一件 法事一件だ
わが社のシステムも だんだん需要が ふえてきた 今日は3班に わかれて行動する
このテレビを 会場に はこぶのが ワシらの仕事か？
ああ そうだ！
運送屋じゃ ないか！ どこが コンピュータ 会社なんだ!?
今に わかるよ！

居酒屋
町さ来
大小宴会うけたまわります
町さ来
町さ来
ブオオオオオ
INC
えっ？この居酒屋にテレビを！
はやくはこぶんだ時間がない！
くそ！バカ重いテレビだ30キロ以上あるな！
たしかにこりゃ肉体労働だ！
あっ酒の用意がしてある
おまちしておりました

さすが高給を出す会社だけあるな!
バイトの人たちをねぎらうためにこんなごちそうを…
こら! おまえがすわるんじゃない!
テレビの席だぞそこは!
テレビを置くのかここに?
当然だろ! テレビがお客様なんだから
今日は この店でクラス会がおこなわれるんだ!
全員がテレビで出席するわけだ
テレビ電話があるだろ あれとおなじ方式だよ!
テレビ電話と!?
お店の電話の回線をかりてぃいですか?
はい どうぞ!
こちら クラス会本部! ただ今 テレビを会場に はこびおわりました! はい!
11時ですので連絡が入りしだいセッティングします はい! OKです!

ジリリリリ
はい INC《イベントネットワークコーポレーション》です 山形《やまがた》の布川《ぬのかわ》さん 電話を そのままで おまちください
8番 テレビに つないで くれ!
出席者には事前に モニターテレビを 宅配便で とどけてある それを電話機に とりつけ 電話回線を 利用して会場と中継 するわけだ!
なるほど 家に いながら クラス会に出席 できるわけか!
ロンドンの 吉原《よしわら》さんだ 23番に つないでくれ!!
特に このクラスは 学校も廃校になり 銀行や商社に つとめた者が多く 転勤ばかりで 一堂に 集まることは 不可能だ!
ニューヨークの 山田《やまだ》さん…
海外勤務も 多いんだな!
29人の セッティングが 終了しました ディレクター!!
よし!! あと1分で クラス会を はじめる!

スタート!!
太田
小倉
吉田
よう 青木《あおき》! ひさしぶり!!
ガヤ
おまえ 岩田《いわた》か… やあ 15年ぶりだな!
ガヤ
おおっ 内田《うちだ》か! おぼえてるよ!
わはは
いっせいにしゃべり出した!
ガヤ
やあ! オレだよおれ!
わははは
ガヤ
ガヤ
やだあ あなたなの⁉
ガヤ ガヤ
なにせ15年ぶりの対面だからな!
我われもこれからいそがしくなるぞ!
えっ⁉ なんで⁉
見ろよ! クラスのマドンナさゆり子ちゃんがますます美人になったぞ
ガヤ
なに⁉ くそ! ここだと見えない!!
ガヤ ガヤ

すいません もう少し 右にむけて ください！
ほら 仕事だ ぞ！
なるほど 自分じゃ うごけない からな
あっ ひとりだけ ずるい！
ボクは前に 置いてください!!
オレも！
なぜ みんな 集まって 来るの? やーね！
さゆり子 ちゃん！ じつは君が 初恋なんだ！
こら！ かってに 抜けがけ するな!!
テレビでも やることは 変わらんな！
さゆり子ちゃん こっちを むいて！ ボク 山下《やました》！
前の テレビ じゃまだ!!
おまちどうさま 担任の先生と やっと回線が つながりました！
先生は 教師を引退され 北海道《ほっかいどう》に おすまいです
テレビを 正面に むけて ください
けっこう いそが しいなあ
大前田《おおまえだ》 先生 どうぞ！

先生!! おひさしぶりです!
みんな元気か!!
わあ! なつかしい!
先生!!
先生!!
先生 見てください! うちの子です!!
おおっ よく見えるぞ!!
田中《たなか》はどうした? いるのかな?
あっ 消えてる!!
学生時代から あいつは よく 休んでた からな!
うむ まだ なおって いないな!
こまった 奴だ!
名簿を 見ると すごいな エリートばかり だ!?
実際は そうでも ないんだよ
クラブ会名簿
パリ支社に つとめてるはずの 青山《あおやま》さんは じつは 会社が つぶれて 四畳半のアパート 暮らしなんだ
インチキ かよ!

わが社のテレビ電話型システムは 本人がうつるので 背景オプションがついてるんだよ
外国などよく利用されるよ
さらに本物の服まで ついて顔だけ出せばOKというのもある
かつら付き
観光地の看板みたいだな
おフロに入ってたり寝起きの姿だったりしても顔出しパネルがあれば安心と言うわけだ
しかし まぬけな姿だ!
エリート商社につとめる赤木《あかぎ》さんもそれを使用している
ガヤ
ガヤ
本当かよ!?
山下 ちょっとトイレに行ってくるスイッチを切るぞ!
ちぇっ 赤木またかよ!はやくしろよ
かつら付きのパネルがあってたすかったよエリートが台なしだからな!
しかしこんな時にゲリになるとは!!

級長だった赤木くんはどうした!?
わがクラスで一番のエリート赤木くんはどんなになってるかたのしみだ!
赤木は今トイレに行ってます
すいません赤木くんをみんなの前にしてください
はいよこの位置でいいか?
おーい赤木まだか!?
わかったわかった!!
ピピー
あいた!
ガターン
部屋中ちらかってるからなあもう!
おーい赤木!!
ピピー
ガタッ
わかった!はい!!
やあみんな!ひさしぶり
げっ!
おまえが赤木か!?

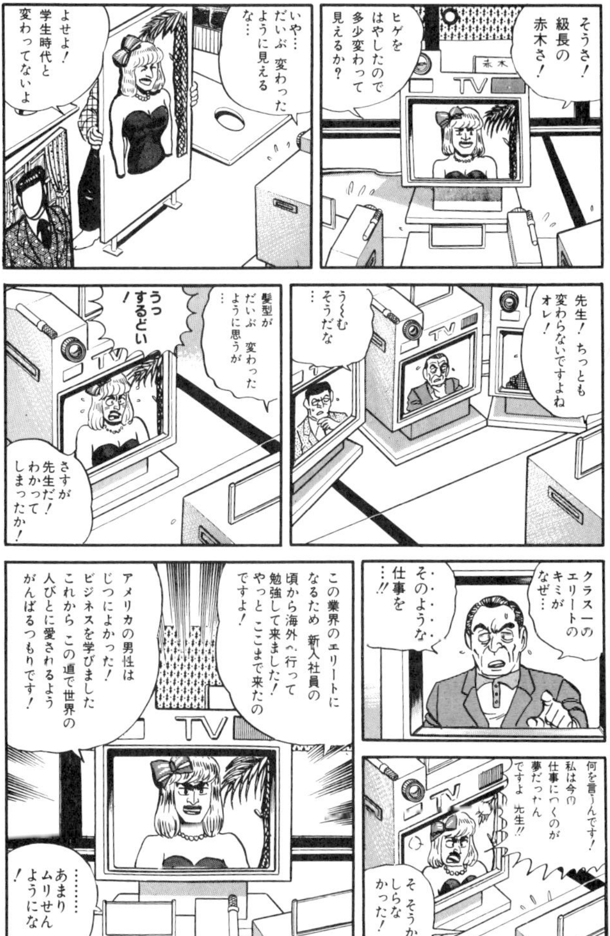
そうさ!級長の赤木さ!
ヒゲをはやしたので多少変わって見えるか?
赤木
TV
いや…だいぶ変わったように見えるな…
よせよ!学生時代と変わってないぃよ
先生!ちっとも変わらないですよねオレ!
う〜むそうだな…
TV
髪型がだいぶ変わったように思うが…
うっするどい!
さすが先生だ!わかってしまったか!
クラス一のエリートのキミがなぜ…
・・・・そのような仕事を…!!
何を言うんです!私は今の仕事につくのが夢だったんですよ 先生!!
そ そうかしらなかった!
TV
この業界のエリートになるため 新入社員の頃から海外へ行って勉強して来ました!やっと ここまで来たのですよ!
アメリカの男性はじつによかった!ビジネスを学びましたこれから この道で世界の人びとに愛されるようがんばるつもりです!
………あまりムリせんようにな!

あのエリートパネルをまちがえてるぞ! いいのかよ!?
ねぼけてたまにまちがえる人がいるけど… 真顔だけにしらせづらい!
Robot Police Box
テレビ電話の会社ですか!?
そんな物だ! いそがしくて出席できない時分身のテレビに出てもらうわけさ!
結婚式など会場への往復をふくめると一日つぶれてしまうからな 合理的だよ!
画面同士のあいさつじゃムードないわね
しかし クラス会の途中で停電! それで おひらき! 悲惨なおわり方だったよ
あと味が悪いですね
今後どんどんのびる企業だからバイト料も最高だよ!
しばらくこのバイトをつづけることにする!

HOTEL
INC
キッ
今回の結婚式はわがINCが社運を賭けたビッグイベントだ!
くれぐれも注意してくれたまえ!
ゾロ ゾロ
バイトの数がいつもの5倍はいるぞ!
今日の結婚式はそうとう集まるらしいな!
ここが会場だ!!
げっ

こんなにいっぱい出席するのかよ!?

全員で1,000名だ!!
会場が広いため新郎新婦のテレビは60インチのプロジェクターを使用している
TV

不気味な
静けさだ…
1,000台のテレビが
いっせいに
しゃべるのは
もっと不気味だが…
あと10分で
式がはじまる
全員
位置について！
あいた！
ズダッ
あっ!!
いけね
配線が
はずれた！
あっ
こら!!
出席者の
テレビ回線だぞ
それは！
なんだって!!
2時間もかけて
テーブル順に
つなげたのに！
なんてことを！
はやく
つなぐんだ!!
あと5分で
はじまるぞ!!
青が新郎で
赤が新婦です
そんなこと
言っても
だれが どの線か
わからん
どうやって
見わけるんだ！

ROBOT POLICE
とにかく配線をメチャクチャにつないで式をスタートさせちゃったわけよ！
新郎新婦が男同士でよ！仲人が10歳のこどもだものな！ひどい結婚式になっちまったよ！
新米のバイトも移動中にテレビを落とすし会場はパニックだったよ
ニューハイテクビジネスも大変ですね
世の中先ばかり見てつき進むからパニックになるんだ！
たまに後ろをふりむいて…
テレビ電話より糸電話に代えるとかな！これこそ通信ネットワークの基本だぞ！
いやあなつかしい！このほうがいいですね！

★週刊少年ジャンプ1988年14号

両《りょう》さん月へ行くの巻《まき》

先輩は!?
ROBOT POLICE
Robot Police Box
正月休みをはやめにとって年内いっぱい休むらしいわよ
なんでも月旅行して来るんですって!
月へ!?
うーむいやな予感がするな…
ロケット開発研究所

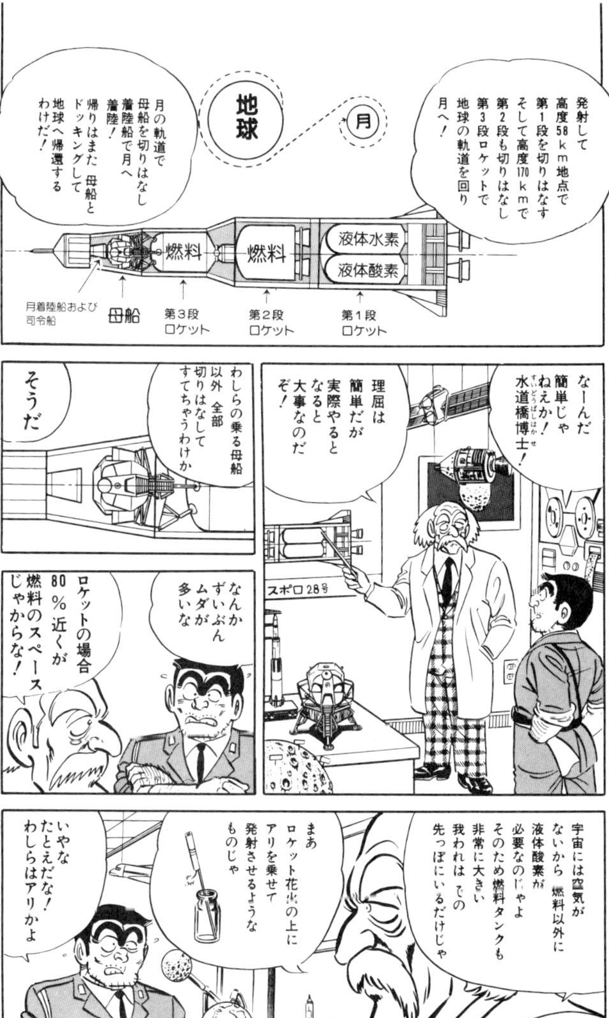
発射して高度58km地点で第1段を切りはなすそして高度170kmで第2段も切りはなし第3段ロケットで地球の軌道を回り月へ!
月の軌道で母船を切りはなし着陸船で月へ着陸!帰りはまた 母船とドッキングして地球へ帰還するわけだ!
地球
月
燃料
燃料
液体水素
液体酸素
月着陸船および司令船
母船
第3段ロケット
第2段ロケット
第1段ロケット
なーんだ簡単じゃねえか!水道橋《すいどうばし》博士《はかせ》!
理屈は簡単だが実際やるとなると大事なのだぞ!
スポロ28号
わしらの乗る母船以外 全部切りはなしてすてちゃうわけか
そうだ
なんかずいぶんムダが多いな
ロケットの場合80%近くが燃料のスペースじゃからな!
宇宙には空気がないから 燃料以外に液体酸素が必要なのじゃよ そのため燃料タンクも非常に大きい 我われは その先っぽにいるだけじゃ
まあロケット花火の上にアリを乗せて発射させるようなものじゃ
いやなたとえだな!わしらはアリかよ

30年間にわたる月に関する調査の末私はある結論に達したのだ!
月にはダイヤモンド鉱山がある!
この理論をたしかめるためにロケットを完成させ 月面調査をおこなうことにした
生きて帰還できるかわからんこの計画に協力してくれる両津くんにお礼を言いたい!
何を言うのです水道橋博士!
宇宙こそ人類のロマンがんばりましょう!
うむ!よろしくたのむぞ!
ただでダイヤが手に入るチャンスだものな!のがしてたまるか!

早見湯
早見湯
用意はいいか？出発するぞ!!
OK!! 腹も いっぱいだし 大丈夫！
うわっ地震だ！
うわっ

あっ フロ屋が⁉
なくなっている⁉
やった 月に 着いたぞ!!
漫画のように はやい! さすがだ!!
3時間後には 月を出発しないと 軌道に もどれないぞ 時間がないので いそごう
博士 地球を バックに 記念写真を 撮りましょう!!

この写真をみんなに見せて自慢しよう！
両津くんこのあたりを掘ってくれ！
力仕事ならまかせろ!!
すごいパワーだ！
どうだ？土に変化が見られるか？
だんだんかたくなって来ましたよ
おや!?
博士変わった岩が出て来ました！
おおっ！これはまさしくダイヤの原石!!
やったあ大発見だ！
ようし！もっと見つけてやる!!
やはり考えは正しかった！うーむすばらしい！

博士 こんな 大きいのも 見つけ ました!!
これは すごい!
地球上では こんな大きな 原石は まだ 発見されて おらんぞ
両津くん! さすがだ…ん!?
ガ ガ
こら! こら!
地形を 変えるほど 掘っては いかんぞ!!
奥のほうに まだまだ ありますよ 博士!
月面の ダイヤを 全部もって 帰りましょう
ガ ガ ガ
着陸船に もどる時間だ もう そのへんに しなさい
くそ!
自動発射装置に なっとるからな 大変だ!
これだけ あれば いいか!
月の石や砂 なんかも もって行くん ですか? 博士!
うむ あとで調査を するからな!

石なんか置く場所が あるならダイヤを もっとつめるのに！
ん!?
おおっすごい！
あんな巨大なダイヤが!!
こら！もう出発するぞ！
あれを置いて行ったら一生悔いが残りますよ！
近くで見るとやはり すごいやった！
大もうけ大もうけ!!
地球にくらべくそ…重力6分の1でもけっこう重いな！
そんなものすててはやくもどってこい！
ピピピ
間に合わんエンジンスタートだ!!
FIRE
ドドドド

ドドド
あっ!!
こら〜ッ 薄情者!
ワシをわすれて行くなよ!
…といくらどなった所でもはや手おくれか!
よわった…どうやって帰ればいいんだ?
宇宙遊泳して帰るわけにもいかんし…
まあ いいや! そのことはあとでゆっくり考えよう!
これで時間に追われずゆっくりと発掘できる
えっ 先輩を月に置いてきた!?
ROBOT POLICE

出発ギリギリまでダイヤをさがしていてロケットに乗りおくれたのじゃよ
本当に月へ行ったんですか!?
本当だ…しっかり写真を撮っている
ひとりで置いてきてしまったので心配で…
心配無用ですあいつは生活力がありますからどんな所でも暮らしていけます
し…しかし月には何もないですし…
地球上ならどこでも平気だけど…大丈夫かな?
あんな所に行っちゃって!
ふう! ダイヤさがしももう あきたな!
いくらでも出てきやがる! さすがにつかれた!

全部地球にもって行ったらダイヤが値くずれしてしまい意味が　ないな
ダイヤは少ないからこそ希少価値があるんだからな
おなかもすいてきた！何か食べる物をさがそう！
コンビニエンスストアーでもないかな？
あっなんだ!?
アポロ計画で使用した月面車だ
おいて行っちまったのかもったいねえ！
おっ何か宇宙食みたいのが残ってる!!
NASA
NASA
SPACE FOOD
こりゃたすかった！
おっうごく！こりゃあいい！
よし！この月面車いただこう！

おや? 今度は なんだ!?
乗りすてて 行った 着陸船だ!
やった!! こいつをなおして 使おう!
酸素維持 装置まで ある!
これで 当分は 空気の心配が ないな!
実験用の食物の タネや水が 残ってる すごいな!
これで 食べ物は なんとか なりそうだ!!
よし! もって 帰ろう!!
よく考えると こんなポンコツ 宇宙船で 地球に帰れるの かな?
大気圏で 燃えてしまいそうな 気がするな…

ムリして あんな遠くまで 行くより 月に とどまった ほうが正解かも しれん
どこに 住んでも 同じだな
そうだ! 金もちどもが 地球の地面を 買いあさってる 時代だからな
いずれ この月の土地も 買いに来るな!
ワシが月の住民 第一号として この月はワシが 所有する!
きまった!
日本《にほん》の 不動産業者が こないうちに 分譲して しまおう
はやい者 勝ちだ!
うむ ここなら 平野が多く 広びろとして いる
ここに きめた!!
真ん中は 宇宙船の 発着場に しよう
ここが 月の中心に なる
会社名も 大きく書いて おこう

両津不動産
ここが第2の田園調布《でんえんちょうふ》となる日もそう遠くない
どんどん月を改造していこう!!
道路はすべて片側5車線の大型道路
都市計画は初めがかんじんだ!
ガリ ガリ
数か月後
ゴゴゴゴゴ
草木がないと殺風景じゃいかん!!
ガーッ ガーッ ガーッ
岩をけずってそれらしく作ってしまおう

なんだ これは? ここが本当の月か?
月探査機の写真は まちがいなかったな! 本当にその通りだ!!
着陸する時 月面に『両津不動産会社』と書いてあったがどういう意味だ?
わからん… いったい月で何が起こったのだろう?
ん!!?
後ろに何か…!!?
げっ!!

人の所有地に勝手に来やがって！ゆるさんぞ！
宇宙人か!?
人間だ！日本人だ！
食糧をもってるのか！よし！命だけはたすけてやる
まるで山賊だ！この男！
どうしてこんな所に住んでるんだろう？
そのまままっすぐあるいて行け！
畑をたがやすのに人手が足りなかった所だ
トホホ…なんでこんな目にあうんだ…

あれから一年になるけど先輩帰ってこないね!
ROBOT POLICE
そう簡単に帰れるわけはないからな
生きてるのか死んでるのかもわからないわ
わしがさそったばかりに……気の毒なことをした…
月のニュースをやってますよ
えっ!? 月の!?
月の表面が変形したことで調査団がなん度か月面にむかい そのたび行方不明になっておりましたが…
GNN
3回目の調査団がそのナゾを解く画像を送ってきました
隊員のひとりのカメラにナゾの生物が映されています
左上をごらんください
突然 調査団にむかって生物がおそいかかって来ます
その生物は叫び声をあげカメラマンにむかって来ます

この2秒後に カメラは こわされ 画像は消えて しまいました
宇宙センターの アンドロメダさん この生物を どうごらんなり ますか?
人類に きわめて 近い生物ですね 知能は ひくく 野蛮な性格だと 判断します
その生物が 落としたと 思われる 黒い手帳のような 物も発見 されてます
はたして これが なんなのか わかりません
警察手帳 だ…
先輩だ…
なんと 生命力の 強い男だ!
だから心配など 無用だと言ったろ! そのうち帰ってくる さあ仕事だ!
今後も 月に 調査団を 送る予定 で…
月を 独立国に して大王に なりかねないな おそろしい…

★週刊少年ジャンプ1988年5号

文《ぶん》豪《ごう》・両《りょう》津《つ》勘《かん》吉《きち》先生の巻《まき》

小説版
「こちら葛飾区《かつしかく》
亀有公園前派出所《かめありこうえんまえはしゅつじょ》」
秋本《あきもと》　治《おさむ》

第一章　派出所

秋の日差しが派出所の窓から射しこむ穏やかな午後、昼食を早目にすませた両津勘吉《かんきち》は、彼の日課となっているプラモ作りに興じていた。
「うーむ我ながら素晴らしいできだ」
両津は、製作途中のフェラーリのボディーをながめ感動していた。
「はい、お茶よ」
麗子が両津の机に湯飲みを置いた。
両津「麗子、見ろ!このフェラーリ格好いいだろ!」
麗子「どこが!?」
両津「この流れるようなボディーラインだよ!よく見ろ!」
麗子「別に!」
両津「まったく!おまえには感受性という物がないのか、わしなど腰が痺れてしまうぞ!」

麗子「だって所詮、おもちゃでしょう。本物のフェラーリで食事に誘ってもらう方がいいわよ」
両津「女ってやつは現実的な動物だよ、すぐこれだ!男のロマンって物を理解できないのか!」
両津「おい中川!」
となりの机で引き継ぎの書類を書いていた中川に声もかけた。
中川「なんですか?先輩!」
両津「おまえはこのフェラーリ格好いいと思うよな!」
中川「ええ!ま、まぁ……」
両津「ほら!見ろ!やっぱ男ならこのロマンがわかるよな!女なんて馬鹿だからな、食う事しか頭ン中にねえアホな生き物だから話にならねえよ!」
その瞬間、麗子の持っていたお盆が両津の前頭部を直撃した。

『ガアアン！』
両津「いてえ！てめえ！やりやがったな！このアマ！」
両津の右手がホルスターにかかりM《エム》60《シックスティー》回転式弾倉拳銃《リボルバー》を抜いた。
中川「やめてください先輩！撃っちゃいけません！」
両津「はなせ！中川！先に手を出したのはむこうだぞ！このままじゃ男が廃《すた》る！この高慢ちきな女にせめて一発くらわさねば！」
麗子「ばっかみたい！フンだ！」
両津「なんだと！もうゆるさんぞ！中川！放せ！」

第二章　任務

暴れまくる派出所に一人の男が近づいてくる、その威圧感のある重厚な風貌は、大原部長その人であった。

派出所の前に立った部長はバリトンのきいた低い声でこう言った。

部長「拳銃を振り回して、ずいぶん元気いいな、両津くん!」

両津「げっ!!ぶ、部長!いらしていたんですか!!」

部長「まあな!」

両津「いやあ!ちょっと中川くんに銃を持った犯人に対処する方法を教えていた所です。そうだよな中川!」

部長「そんな言いわけが通じると思っているのか!」

部長は両津の両耳をつまみ、思い切り左右に引っぱった。これは強烈である。両津の眼はひきつり、口は顔の倍にひろがり、上下の歯は歯茎まで露出し、鼻から鼻水が出て、怪鳥のような声を出すのであった。

両津「キエ〜〜〜〜〜〜〜ッ」

部長「今日はこれで勘弁してやろうこの馬鹿め！」

両津「あーいたかった、あぶなく耳が取れる所だったよ」

部長「さっそく仕事だ！中川たちも集まってくれ！」

全員部長の前に集まる。

部長「実は海外よりVIP《ビップ》が日本にやって来る、そしてこの下町を見物しにくるのだ、それを我われが護衛する」

麗子「どういう方がたが来日して来るのですか？」

部長「中国《ちゅうごく》からは考古学者で有名な晃《こう》両《りょう》猪《ちょ》禎《てい》断《だん》道《どう》語《ご》言《ごん》道《どう》歩《ほ》断《だん》横《おう》報《ほう》応《おう》果《か》因《いん》柳《りゅう》暗《あん》花《か》明《めい》昧《まい》三《さん》華《か》中《ちゅう》舞《まい》振《ぶる》盤《ばん》大《おお》朋《ほう》圭《けい》睦《ぼく》郁《いく》玲《れい》昌《しょう》龍《りゅう》西《ゆう》暢《ちょう》匡《きょう》起《き》八《はっ》転《てん》七《しん》台《だい》多《おお》鎮《ちん》珍《ちん》先生が来る」

両津「え!?なんですって部長、よく聞こえませんでしたよ!?」

部長「しっかり聞かんか！もう一度言うぞ。考古学者の晃《こう》両《のみん》猪《ちょ》禎《てい》断《だん》道《どう》語《ご》言《ごん》道《どう》歩《ほ》断《だん》横《おう》報《ほう》応《おう》果《が》因《いん》柳《りゅう》暗《あん》花《か》明《めい》昧《まい》三《さん》華《か》中《ゆう》舞《まい》振《ぶる》盤《ばん》大《おお》朋《ほう》圭《けい》睦《ぼく》郁《いく》玲《れい》昌《しょう》龍《りゅう》酉《ゆう》暢《ちょう》匡《きょう》起《き》八《ばっ》転《てん》七《しち》台《だい》多《おお》鎮《ちん》珍《ちん》先生だ。そして、ドイツからは、ツュッツェヒュザラタフツュエツァラヒゲルド・フェツァッヒピェツェ※ェヒノッピョピョ氏が来ることになっている。」
両津「部長！キことにすいません、もう一度言ってください。」
部長「しょうがないやつだな」

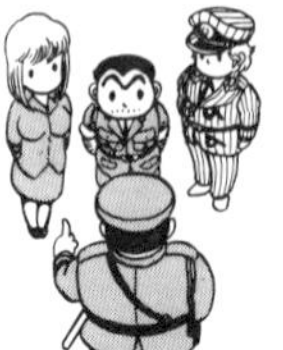

部長「ドイツからはツュッツェヒュザラタフツュエツァラヒゲルド・フェツァッヒピェツエシェヒノッピョピョ氏だ」
中川「もしかしてそのツュッツェヒュザラタフツュエツァラヒゲルド・フェツァッヒピェツェシェヒノッピョピョ氏はGSG9《ジーエスジーナイン》の教官じゃないですか?」
部長「ちがう、教官をしてるのは、弟さんのホァッヒョフヘロヒッフェワハヒツエホヒエッツエシホヘハヒ・フェツァッヒピェツエシェヒノッピョピョ氏だよ。来日するツュッツェヒュザラタフツュエツァラヒゲルド・フェツァッヒピェツエシェヒノッピョピョ氏は、その兄で現在ドイツで本場大島紬《おおしまつむぎ》を織っている」
中川「なるほどそうでしたか」

両津「部長！今の名前ですが、読者の中に名前を飛ばして読んでるとんでもない野郎がいました」
部長「なに！それは本当か!?」
両津「もう一度、言ったほうがいいと思いますよ」
部長「よし、くりかえそう、ツュッツェヒュザフタフツュエツァラヒゲルド・ノェツァッヒピエツエシェヒノッピョピョ氏だ！」
両津「今度は読んだと思います！」
部長「よし！それから今回本庁より機動隊員が10名応援に来てくれた。今、外に待っている。全員中に入れ！」
機動隊員が戦闘服に身を包み、派出所の中に入って来た。
麗子「うわあ、すごい迫力ね！たのもしいわ！」
両津「よし！わしが指揮してやる」

両さん文字クイズ

(一)つぎのひらがなを読んでください

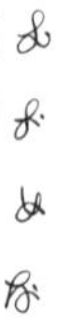

① ② ③ ④

(二)つぎの漢字を読んでください

① ② ③ ④

(三)両さんは漢字を書く時 ゴチャゴチャになる場合があります 正しくならべて読んでください

(例) 頁 頭(あたま)

① 媑く ② 倸しい ③ 畕

以上 すべて読めた人は天才・両さんの本を解読可能です

(答)
(一) ① む ② お ③ め ④ な
(二) ① 山 ② 川 ③ 人 ④ 中
(三) ① 動く ② 新しい ③ 雷

両津「全員整列! 右から大声で番号を言え!!」
「一!」
「二!」
「三!」
「四!」
「五!」
「六!」
「七!」
「八!」
「九!」
「十!」
両津「声が小さいぞ! やり直し!!」
「一!!」
「二!!」
「三!!」
「四!!」
「五!!」
「六!!」
「七!!」

「八!!」
「九!!」
「十!!」
両津「馬鹿者！もっと腹の底から声を出さんかい！もう一度だ!!」
『ガツン！』
両津「あいたた!!何するんですか!?」
部長「いいかげんにしろ！番号を繰り返すだけし、全員終わってしまうだろう!!」
両津「つまり！この方法は、作家がアイデアが詰まった時に、とにかく人数を集めて、番号を言わせるんですよ、そうすると一言で一行ですからね、100人も集めれば原稿用紙5枚も進むというすばらしいテクニックです。あるSF作家に教えてもらったんですよ」

部長「だめだ！真面目にやれ！」

両津「だって、大変なんですよ、このスペースを活字で埋めるのはネームだと、いくらでも字が出てくるんですがね、やはり絵が入らないとイメージがわかないというか……漫画の方が楽ですね、背景や顔のアップだけでなんとかごまかせるし！」

部長「つまらんことを言うんじゃない。お前のおかげで話が全然進まん。「第二章」のままで、話が止まっているんだぞ!!」

両津「わかりました。場面転換しましょう。今すぐに！」

第三章　警備

ここは東京の新宿《しんじゅく》、歩行者天国の街は大勢の人びとであふれていた。

両津「部長、やはり漫画でなく、小説でよかったですね」
部長「なぜだ!?」
両津「漫画なら、新宿の歩行者天国の場面を見ひらきでかいたら、2日はかかってしまいます。小説なら、たった2行でいいんですからね!」
部長「そうとも　〝ここに機関車が100台あります〟という文章を絵にして見ろ、かくのに一週間はかかる」
中川「部長、VIPの方が今、車で到着されました。」
部長「よく日本にいらっしゃいました、晃《こう》(略)氏にツ(略)氏!」
晃(略)「どうもはじめまして、日本に来るのがたのしみでしたのよ」
部長「これは失礼!女性でしたか!?小説なので顔が分からなかった

ものでした」
晃(略)「いいんですよ！それより、角がりのお巡りさんでボンとパンツをはいてください！」
両津「これはどうもすみません！画面に出てないので、わからないかと思ってまして！」
麗子「晃(略)さんは変った声ですね」
晃(略)「かわいいでしょう。ほほほほほほほほほほほほほほほほ」
ツ(略)「ここが葛飾《かつしか》・柴又《しばまた》ですか？ずいぶん寅《とら》さんの映画とは、ちがいますね」
本田「ここは別の場所ですよ」
両津「びっくりした!?本田！いつ、ここへ来たんだよ!?」
本田「小説の初めからずっといますよ、声を出さなかっただけ」
両津「ばか！ラジオと同じなんだぞ声を出さなきゃだれが出演して

いるかわからないだろうが！」

中川「先輩、しゃべりながら、ズボンをぬぐのやめてくださいよ」

両津「うるさいな！それより麗子！裸で街中、歩くのはやめろ！」

麗子「やーね！ちゃんと服を着てるでしょう！もう！」

両津「着てるといっても、そのようなバタフライ姿は目の毒だ！」

『ガァン！』

両津「あいたァ！消火器でなぐられた！ちくしょう！」

中川「部長！これは小説といっても会話が90%です。小説というより、コントの台本みたいですね」

部長「うむ！やはり〝こち亀〟を小説にする事自体、無理があったようだ、やはり、漫画で見るのが一番だ！うまくまとまったな」

両津「なーんや！それ！」

小説版
「こちら葛飾区亀有公園前派出所」

全巻の終わり

鋼鉄社から矢のような催促があったけど近ごろは来ないね
じっくりと書かそうと待っててくれてるのよきっと
どうもおひさしぶりです
あっ担当の太宰さん
ようやくペースに乗って書いてる様子ですよ先輩は！
もうけっこうです実はことわりに来たんです！
えっそんな‼
もう私は別の作家の担当になりましたから！
今度ヒットするのはこの本です 何しろ世界で初めてアイドルが本当に書いた本なんですから！
これはインパクトが強いですよ！貴重ですからね！
世界初 天才少女あらわる
私が書きました
星ひかり子
芸能界大パニック
私もびっくりしました
両津さんのあのような本は第2弾第3弾と話題のうちに出さねば意味がありません
一か月たっては商品価値がありません
それじゃそういうことでおつたえください

なに!?
依頼をことわられた!
はい!
もう必要ないからもって来てもダメだと!
今さらそんな!
徹夜でもう2,000ページ以上書いてるんだぞ!
今さら中止なんて言えるか!
書いていることがムダだとしったらどういう行動に出るか…
しかしいつかは気づくことですからはやいほうが…
ぬっ
何話してるんですそんな所で…
いや別に何でもない!
本当なんでもない!!
私も創作活動の意欲がわいてきましたよ
あと10日ほどで完成しますからね!
いやぁライフワークとよべる作品になりそうだ!
全10巻にはなるなァ……
大原くんキミから言いたまえ!君の部下なんだから
全面的にバックアップすると言ったのは署長ですよ!署長が言ってください

★週刊少年ジャンプ1987年42号

両《りょう》津《つ》大《だい》明《みょう》神《じん》の巻《まき》

1988. 1. 1. AM6:00

勤務交替の時間ですね！
何ごともなくぶじ 年が明けたな！
明けましておめでとうございます！
いやあ おめでとう！
辞典
派出所で元旦をむかえてしまいましたね
たまにはいいものだよ
両津さんは今回勤務じゃなかったんですか？
TRIO
WANTED DEAD OR ALIVE

めずらしく大みそか勤務がなくて非番なんだ先輩は！
その分貧乏クジがこっちに回って来たわけさ！
そうでしたか両津さんとはいつも元旦に勤務交替するんですよ
あいつのことだどうせ酒でも飲んで ろくな元旦をむかえておるまい！
大きなお世話ですよ
うわっ
なんだ！ おまえ！正月早そう突然派出所に来て!?
どうしたんです先輩!? 元旦の朝6時ですよ!? こんなにはやく起きるなんて!?
体のぐあいでも悪いの？
わしが元旦にあらわれるのがそんなに不気味かよ！

となりのロボット派出所に用事があって朝はやく こうして来たんですよ
あーっびっくりした!
おどかすな! ゆうれいかと思ったぞ! まったく!
それにしてもみなさんごくろうさんですな!
なに!?
私など ゆうべ年越しそばをすすりながら紅白歌合戦《こうはくうたがっせん》を見て 視聴率アップに協力してしまいましたよ
やはり人間大みそかぐらい休まないとね! 一年最後の日ですからね!
警視
大みそかまで働くなど心がまずしい! エコノミックアニマル丸出しですよ!
元旦から働く生活してるなんて今年も きっとろくな年にならんでしょうな
さあ! さっさと帰ろう!
おつかれ様です!
あとはたのむぞ!

貧乏ヒマなし！国家公務員の悲惨な姿が朝日に輝いて美しい
亀有公園前派出所
相手にするんじゃない！はやく乗れ！
警視庁
そう そう 去年の忘年会でおまえ 酒飲んで大あばれしたろ！
あれは盛りあがりましたね
年末会議で一月から おまえの減俸が決定したそうだ！
おまえにとっても最悪の年明けになるぞ！
ブロロ
強烈なすてゼリフをはいて行きやがった…ちくしょう！
ただでさえ少ない給料をさらにカットするとは…なんてこった！
何見てんだよ！おまえらはさっさと仕事しろ！

給料カットとなると生活設計から新たに考えねばならんな！
そのためにも本日の計画は絶対成功させねばいかん！
うおっす！あれ!?
神様！どうもおめでとうございます！
どうしたんだそのスタイルは？
お正月のムードを少しでも出そうと思って！

気が きくな！ 外は 寒かったからな！
あっ
うわっ つめてえ！
コタツ型クーラーですよ これは!!
ボクらロボットは精密機械ですから暑さはダメなんです！ ひやしたほうが 調子いいんです！
そのくらい当然だろうが！
まぎらわしい物を作るな！
その火鉢は冷気空調機だよ！
なに？
そのみかんはガソリンで作られていて人間は食べられません
みんなニセモノじゃないか！
だから正月のムード・・・を出してるだけなんです！

夏にクーラーをガンガンつけてたのは機械のためかよ
そうですだから寒い冬のほうが調子いいんです!
ところで例の物は完成したんだろうな!
はい! 一応言われた通りに作りましたが…
テレビのニュースを見てみろ!
NHH ニュース
東京の各神社お寺ではすでに参拝客が10万人を突破しております
おそらく元旦の今日一日でのべ100万人は突破するとみられております
よし! 今がいい頃だ出発するぞ着がえろ!
本当に行くんですか?
ラーメン専門 文龍
ラーメン 文龍

日本の人口の半分が参拝に行ったとして約六千万人だ
おさい銭ひとり10円あげたとしても6億円100円あげたら60億円だ!
ブオオオオ
日本の人口の1割がこの東京に集まってるんだぞ!
数億円が正月にうごく勘定になる!
年始めのこのイベントに参加しない手はない!わかるだろ!
しかしいきなり神社を始めるなんて…
現代においてわしは『神』にひとしい!本物の『神様』も友だちなんだぞこのわしは!
たしかにその通りですが…
地価狂乱低金利時代!円高不況!そのような世の中を救えるのはこの〝ジーザス両津〟しかいない!これも世のためだ
自分のためみたいですけど…

初もうでは
警察署
一方通行
立ち止まらないで下さい
ピ
ピ
ガヤ
ガヤ
ガヤ
通行止めで これ以上車で 入れませんよ 神様！
うらへまわれ 右に迂回しろ！
ちょうど空地がある ここにしよう
30
ブロロロ
このスペースなら 店を出せる
ダメ太郎《たろう》は 人の流れを こっちへ変えて こい！
はい！
一方通行
ピッ
ピッ

パラ
ガチャ
ガシャ
すばらしい！わずか20秒で『両津大明神社』完成だ！
メカにかけてはプロだからな

わしも用意しよう
ダメ太郎のヤツおそいな！
あれ？行き止まりだ！
通行止
右へ迂回するのか？
参拝者はこちらへ
毎年人が多くなるからなぁ！
神社
ゾロ
ゾロ
ゾロ
どんどん参拝の道が複雑になる
炎《ほのお》の介《すけ》さん先頭が来ますよ！
よし！ごくろう！
なんだ？変な所に出て来たぞ！
この神社はなんだ!?
ガヤ
ガヤ
ガヤ
ガヤ
みな様！ようこそ！両津大明神社へ！

世の中 暗く不況になるほど 参拝客がふえると言われています もはや 救いの道は神だのみ! しかし そんじょそこらの神では この不況は乗り切れません!
この両津大明神こそ かならず ご利益がある業界随一と自負しております
何しろ 私は『神様』と友人なのです 見てください!
直接 神に ねがいごとをたのむので まちがいなし!
オオ!
すごい
家内安全 学力向上 安産祈願 交通安全 すべて両津大明神に まかせなさい!! いやあ どうも どうも!
1,000円ご寄付していただいた方には直接祈ってあげましょう!
今年 大学受験なんだけど よろしくたのみます
よろしい!!
大学受験 一発合格 無事合格! かならず合格!!
たとえバカでも なんとか合格させたまえ! アーメン!
バサ バサ バサ バサ

もう大丈夫 落ちない限り 絶対 合格 します!
やった!
さらに 安心するために あちらで 両津大明神 グッズを 買い求めれば 鬼に金棒!!
お守り ペンダント ネックレス そして 私のブロマイドから アイドルのテレカ ポスター レコード カレンダーまで 販売しております
1988
HIKARU 一平
MOMOMO
1988
お守り
なんで アイドル物を 売ってるんだ?
両津大明神の Tシャツ 1枚 1,500円!
夏を先どり 一家に1枚 最高級 Tシャツ!
両津大明神
霊験 あらたか! 無病息災!! 家内安全!! 一家に一枚
両津T
イベントと言えば 切っても切れない トウモロコシ!
大明神みずから やくという 大サービス 1本300円!
一本 300円

神様 なんで トウモロコシまで 売るんですか？
ドサクサで なんでも 売るんだよ いきおいで！ 客は わけがわからず 買って行く からな！
！神主
参拝の方が ピタリと 止まりました
うーむ 不吉な…
むこうのほうが さっきから やけに にぎわって いるな！
ガヤガヤ ガヤガヤ
順路が 変えてあります!!
なに!?
100円入れて くれた方がたに 幸あれ！ ナンマイダー!!

おい！そんな所にいつ神社を作ったんだ!?
あっまずい！
おい引きあげろ移動するぞ！
え!?
本日の営業はここまで！
あっ
あっこらまて!!
FUSO

なぜ！『神』がにげなきゃいけないんですか!?
にげるんじゃない！場所をうつすのだ!!
よし！このあたりでまた始めよう！
キッ
毎度おなじみの移動大明神でございます
初詣でが面倒だというお客様ぜひこの両津大明神社へご参拝ください
あっまだ追って来る！
にげろ！高速を使え！
馬力はこっちのほうが上だ!!にげきれる！
グオオオオ

どうだ! ふつうの改造車とワケがちがうぞ!!
わははは
グオオオン
鎌倉《かまくら》へ行け 参拝客もいっぱいいる
なんかコゲくさいですね…
あっ!! トウモロコシの機械が!?
うおっ火事だ!
神様! 車を すててにげましょう
いかん! スピードをあげて消せ!
よけい燃えてしまうぞ!
うわっカーブが!!
ひえっ
ドガガ

ぎえええええ
ゴオオオオオ
ROBOT POLICE
やってくれましたね '88年の幕開けをトップ記事で!
さらに給料カットだな 今年一年間はタダ働きになりそうだ あわれなヤツよ!
ニセ大明神火だるまで隅田川へ
そうぜつな寒中ダイブ
こりない面々《めんめん》ふたたび!!
元旦《がんたん》の眠《ねむ》りをさます珍事《ちんじ》
火だるまで落下するトレーラー。

★週刊少年ジャンプ1988年6号

人形アイデア
勝負の巻《まき》

先輩！
ふが
先輩！先輩！
う…む
なんだうるせえなァやっと寝ついた所なのに！
おもちゃ工場の立石《たていし》さんが先輩に用ですって！
ぶああ
そんなことで起こすなよ！バカヤロ！
先輩じゃないとダメらしいんですよ
なんの用だよ！こっちは勤務でいそがしいんだぞ！
両さん大変なんだよ

おもちゃ工場がついにつぶれたか!?
ふあああ
転職するねがってもないチャンスじゃねえか！
麗子しぶいお茶入れてくれ！ねむくてたまらん
はい
本当にそうなるかもしれないんだ
先日 社運を賭けたおもちゃを発表したんだ
おまえの所は年じゅう社運を賭けてるだろうが！
ガヤガヤ
制服人形のブームに目をつけて
男子高校生制服シリーズを売り出したのだが…
これがさっぱり売れなくて！
こんな物だれが買うんだよ!!
制服はたしかにブームになっているわよ
？本当か
私立高校など有名デザイナーが手がけてる所がふえてきたし
ほう

同じ服を着た人形も発表されてると聞いたこともあるわよ
しかし男子人形とは…
両さん いつも他人とちがう・・・着眼点をもてと言うじゃないか
たしかにそうだが…これはちがうぞ
売れると思って全シリーズを作っちゃったんだよいっぱい!
バッ
都内私立高等学校
男子生徒図鑑
A高校
B学園
D高校
F学園
G高校
H高校
着眼の方向がまったく別だ! あさっての方向を見てるぞ…おまえ!
自信はあったんだけど…
3,000体も作ってしまったんだこの人形…
作る前にひと言 わしに声かけりゃよかったのに…
今月中になんとか この人形をお金に替えないと不渡り出して転職になっちゃうんだ なんとかアイデアを!
うーむ… G《ジーアイ》ージョーみたいにうごけば ともかく無可動だからな…
人形マニアの方に相談してみたら どうかしら?
そうだ! あいつがいた!

行ってみよう！やつは人形のプロだいいアイデアが出るかもしれん！
おねがいします
リカちゃんハウス
やあ両津さんひさしぶりですね！
ちょいと相談ごとがあってな！
ぼくの人形《ドール》コレクションを理解してくれる友人のためならなんでも協力しますよ資料室へどうぞ！
また人形がふえたらしいな
まあ！ほんの少しょうですが！
チカッ

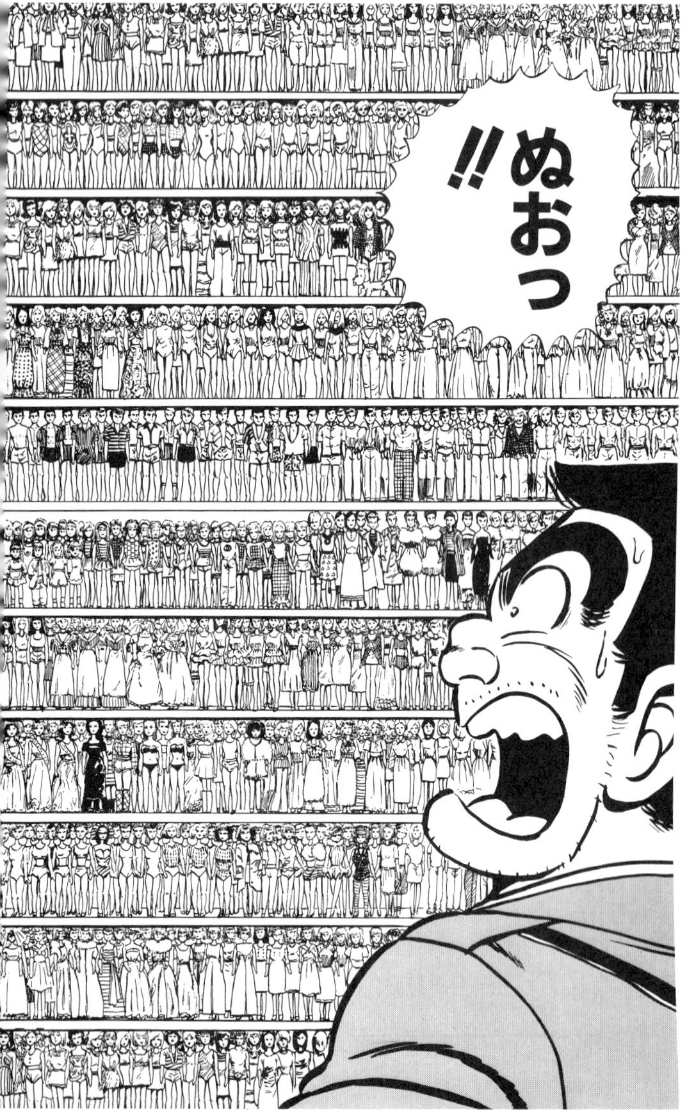
ぬおっ!!

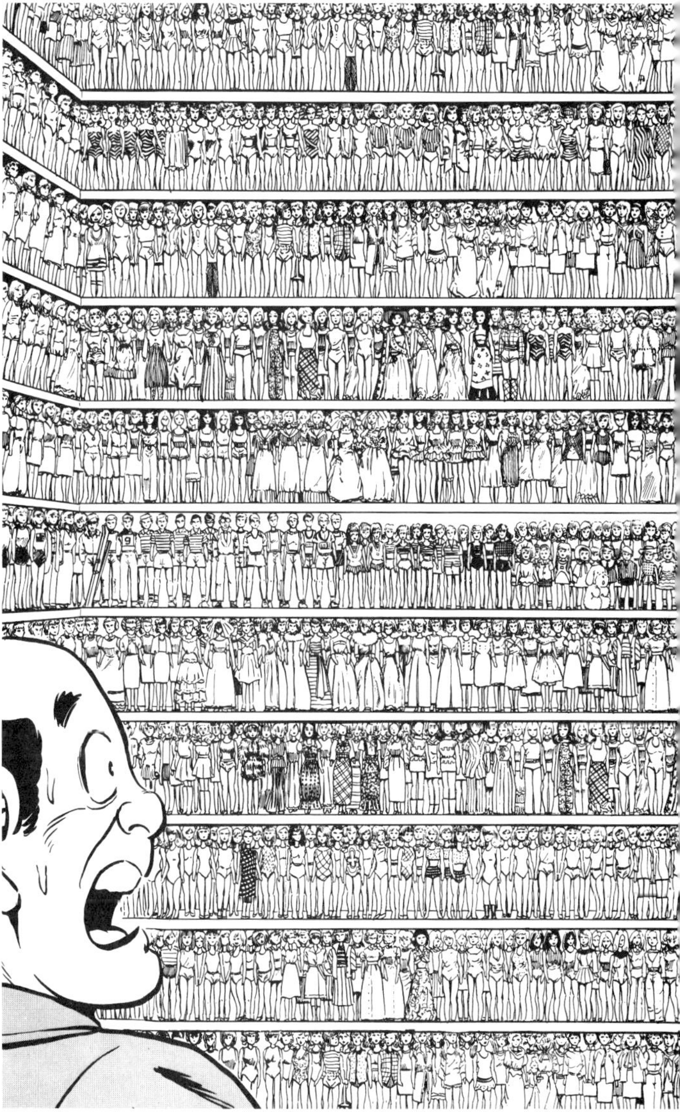

相変わらずすごいコレクションだな！もう世界じゅうの人形を集めただろ？
まあだいたいはコレクションしましたしかしまだまだ！コレクターの道ははてしないですよ！
すすごい数だ…
…で今回の相談と言うのは？
今ブームの女学生の制服人形のことなんだ
ふっそのことですか！
制服シリーズなら 私は2年前に作ったじゃないですか！
有名私立高校の制服285着 作ったのを見て 人は私を変態だの変質者だのさんざん言ってくれましたよ
そ…そうだったっけな！
まあ くわしくはコミックス49巻に私が出てますので読めば わかりますが…
けっきょく制服シリーズはメーカーが発表しました！大当たりだそうですね！
時代がやっと私に追いついただけですよ しかし もう私はもっと先へ行ってしまってます
また新しい制服を作ったのか？
もちろん！けっしておもちゃメーカーはマネができないでしょう！
だいたい見当がついてきた…

有名私立小学校の制服シリーズと有名私立幼稚園の制服シリーズ!
これはマネができませんよ
何しろこんな小さな人形《フィギュア》はメーカーから出ていませんからね
ジェニーやバービーに小学生の制服着せても似あいません
気味悪い!
リカちゃん人形は小学5年生を想定して作られてますがいくら現代っ子がませているからといっても髪を染めてルージュをひいて つけまつげをしてる小学生は いませんよ
それに子どもむきに作られているため 頭が非常にでかい! サンダーバードの人形と あらそうほどです!
ランドセルまでちゃんと皮で作ってある…
幼稚園の人形になんとか使えるのがリカの妹であるふけた顔したふたごの赤ちゃん! 小学生ではゴロちゃんなども…
くわしいですね この方…
この道25年だからな!
今後はどういった制服シリーズが売れるかを相談しに来たんだが…
そうですね
これもすべて私の手作りの制服ですが… 世界のスチュワーデスシリーズ 日本の芸者さんシリーズ
全国の看護婦《ナース》さんシリーズ 一流企業の制服シリーズ 婦人警官の制服などですね…

女じゃなくて男の人形があまってるんだよ 3,000体も！
男の人形など 売れませんよ！人形は女性だから売れるのですから
Gージョーなど男の人形ですが…
あれは姿は人形でもガンダムなどと同様の戦うロボットの部類なんです戦う兵士で可動してたのしめるから売れたのですよ！
現に ボクシングや柔道などスポーツGージョーがありましたが まったく売れなかったでしょう！
うむ！それは言える！
どうしよう…男ばかり3,000体も作ってしまって…
女装させてニュー・ハーフ人形にしたらどうだ！
ムダですよ！
人形業界は男は売れません！ボーイフレンド人形も出てますがほとんど売れませんよ！
Jリーグ各チームの服を着せて メンバー11体ずつ売ればどうだ？
版権が高くてムリですよ
首だけ女につけ変えて女物の服を着せて売っちゃえばわからんだろ！
着せかえる時子どもがショックで泣きますよ！
じゃあいっそ男に徹しよう！たとえば…
ふむふむ

ROBOT POLICE
Police Box
それで結局人形はどうなったんですか？
男子人形で売ることにした！わしのアイデアを生かしてな！
もうすぐ試作品が来るはずだ
キッ
おっ来た！
立石おもちゃ会社
いやあ両さんおそくなって申しわけない
立石おもちゃ会社
立石おもちゃ会社
おまえたちにも見せてやるよ
わあたのしみね！
立石おもちゃ会社

ターゲットをガキでなく大人にしぼった人形だ
へえ
極道人形ブンタくんだ!
任侠人形シリーズにはケンさんもある!
なるほど大人むきだ…
背中にちゃんとイレズミが入っているぞ!
あっ本当だ!!
パラ
あきたらほかのイレズミ用シールがついていてたのしめる
すばらしいできだ! これならベンツのダッシュボードにマスコットとしてかざってくれるぞ!
角刈りの頭がリアルですね!
ゾ、ゾ、ゾウリも本物みたい
ちゃんと現代物もあるぞ!
パンチ頭のリュージくん!

小物《アイテム》に防弾チョッキ・ロレックスの時計・イレズミシールがある
その人形は小指が着脱式になってるのが特長だ
そして泣く子も だまるおなじみのベンツも用意してある
このベンツは人形が乗れてR《ラジオ》・C《コントロール》カーで走るというスグレ物
このベンツでR・Cカーレースに出てみろ! こわい物なしだ! パッシング一発で道を あけるぞ
まったく両さんのアイデアには敬服するばかりです
パッ
ほかにい・な・せ・なお祭り人形シリーズもある
へえ!
これなら売れそうですね!
だろ! 半てんやはちまきなどのバリエーションもいっぱい作った
さらにすごいのはこの神輿《みこし》!
リアルに作ってあるわね

そうとも
この神輿は
定価3万円だ
これに人形を
合体させて
スイッチを
入れると…
スピーカーから
声が出て
前進する!
当たると方向を
変えて進む
ソイヤ
ソイヤ
人形が18体
合体させねば
うごかん そのため
人形が たくさん
売れる!
ケンカ神輿で
友だちの神輿と
戦わせても
たのしい!
ワッショイ
ワッショイ
ソイヤ
ソイヤ
まさに
祭りの情緒
たっぷりだ
時代物では
信玄《しんげん》くんが
ある!!
あっ!
すごく
重い!
カブトや
甲冑《かっちゅう》には
金属を使用
してるからな!
コストも高く
一体2万円
ズシ…
このように
ヨロイを
はずせば…
ヨロイだけ
かざっても十分
鑑賞に たえる
でき栄えだ
このヨロイシリーズは
ほかに
4種類ある
のぶなが
ひでよしくん
これは
中年や
時代劇ファンが
買います
よ!

時代シリーズの
アクション人形も
あるぞ！
『お殿様 おやめになって!!』人形だ！ 帯が輪になって ずっと回りつづける
ういやつじゃ
あれ〜〜〜
クル クル クル
だれが 買うんですか こんなの!?
変わったアクション人形で『しゅわるつねっがぁくん』というのもある
昔 腕が1mも伸びて ゴムのようにじょうぶな『ミスターX《エックス》』という レスラー人形が あったが これは その現代版だ！
引っぱろうが 投げようが 戦車で ふもうが 絶対こわれない『しゅわるつねっがぁくん』だ！
ガッ ガッ
ベリーアダルトには 年寄り人形 ハナさんに モキチさん！
この 腰の曲がり方に 秘密が ある！
20
クラブを もたせると ゲートボールを やるんだ！ 背中を押すと 腕が うごき…
ああいう アイデアは 次から次へと よく出る 人ね…

両さんの考案した人形は
予想以上に大ヒットした
前例のない人形だけにマスコミに
紹介され ますます人気が出た
おもちゃ屋さん
人形売切れ
人形売切れ
人形売切れ
人形制服シリーズ
大ヒット人形入荷予約受付中
小さな工場なので少量しか
生産できないのが よけい
希少価値となったのである
波に乗って発売した
警察官制服シリーズも
大ヒットとなった！
ニューモデル
白バイ隊員
警察官
そこで発案者のわがまま
ぶりが出てしまった！
なんと 等身大のソフト
ビニール製の『両さん人形』を
作らせてしまったのである
新発売
一家に一体
ガードマンがわりに
ぜひ警察人形を
なんと これも大当たり！
おもちゃ店では
売り切れが続出!!
大ブーム等身大警官人形
100体入荷
大ブームとなり
日本じゅうの家いえに
両さん人形が立ち始め まさに
どんどん増殖していった
『家のお守りに警官人形両さん』
をキャッチフレーズに家の前に
立てると本当にドロボウよけに
役立った！
田舎に よくある立ちんぼ警官
人形と同じである

いやあ これも両さんの おかげです 工場も元に もどりましたよ
ROBOT POLICE
亀有公園前派出所
キャラクター料は いらんから どんどん 作りなさい
はい お世話 さま でした
なんの！ わしも人形で 有名に なったからな わはは
ゴリ押しで 自分の人形を 作らせて しまうんだから な…
どこが ゴリ押しだ！ ちゃんと ヒットを 予想して作った のだぞ！
マスコミを 見なさい！ 犯罪予防に 私の人形が 役立っていると みんな言ってる！
全国に ちらばる 100万体の 私が警ら してるような ものだ！
日本中で大ブーム 警官人形
100万体突破!!
部長！ 私の意見は まちがって ますか!?
い… いや
ほら！ この通り 私の人形が 売れてから 犯罪件数が へってますね！ データで！
わかった わかった
62年度 犯罪白書
もはや 私は警察の 顔とまで 言われるほど ですからね はははは
明日も また テレビの取材 ですよ！ まいった！ まいった！

ある事件が起きてから事態は一転した！
守りの人形があるから安心してドアをあけたまま外出したのですよ！
その間にドロボウが入った！まったくひどい話だ！
もうこんな人形信用したばかりにくやしい！
とんだ疫病神だったわけだな！
うわさはあっという間に日本じゅうにひろがった！
そして人形の売り上げはピタリと止まりブームは去った！
ひどい人形
2メートル近くある両さん人形は粗大ゴミでしかなくなった
しかもソフトビニールのため燃やすと悪臭と煙が出て処分がままならなかった
川あそびはやめよう
しかたなく川にすてたり山にすてたりあちこちにすてられた
ゴミをすてるな
子どもたちは両さん人形をひろって いいあそび道具にした
両さん人形の悲しい末路であった

キック!
ガッ
いて!
うわあ 本物だ!
てめえ! いいかげんにしろ!
まったく! マスコミも いい時は ちやほやして いざダメになると親のカタキのごとくメチャクチャ書きやがって くそ!
ROBOT POLICE
うおっ!
先輩・・・
なんとかしてくださいよ! この人形!! すてられないので みんな この派出所へもって来るのですよ
どうして わしが責任もつんだ! わしは ただモデルになっただけだぞ!
邪魔で! 燃やせず! すてられず! まったく人形になってまで人に迷惑をかける奴だ!

★週刊少年ジャンプ1987年51号

浅草《あさくさ》物語
の巻《まき》

秋の交通安全月間
車はシートベルトを
どけ!! どけ!!
チリン チリン
ぶつける ぞ!
ギギ ギギ
やったぜ! フェラーリより 自転車のほうが はやい!
新築した 署も元の通り 建てやがって 能がねえな!
ん!?
わかったよ! おとなしく すりゃ いいんだろ!

村瀬《むらせ》！どうかしたか？
なんでもねえ さっさと車に乗せろ！
警視庁
負けたあ！信号が多すぎますよ…
あれ!? 先輩!?
チカッ
ギャギャギャ
ブオオオ
警視庁
あいつ！同級生の村瀬じゃねえか!?
え!?

さっきの警察官しりあいなのか？
うるせえ！しったことじゃねえ!!
村瀬賢治《けんじ》と言って 小学校で一番の天才少年だったんだぞオレと仲よくてな
家も金持ちでよ当時から家庭教師つきで車で小学校へかよってたんだぞ
ROBOT POLICE
亀有公園前派出所
三年生の時浅草《あさくさ》から渋谷《しぶや》のほうへ引っこして行っちゃって三十年近く会ってなかったな
てっきり官僚にでもなってると思ってたのに
なんでヤクザの世界に入っちゃったのかなあ？
小学生でトップの成績でも 中学高校 大学とレベルがアップしてきますからね！
日本中から優秀な人が集合する中でさらにトップを とることは並みたいていの努力じゃつとまりませんよ！
そこで生まれてはじめて挫折や敗北感を味わい 人格をも変えてしまうこともありえます
エリートほど挫折するともろいですからね

エリートでも悩みごとがあるのかあ ふーん
頭の回転がはやすぎて考えすぎるんだよ！
両ちゃんは回転がにぶくてよかったわね！
大きなおせわだいちいち例に出すな！
あいつわしのことおぼえてるかな？
心配だな！
亀有公園前派出所
警視庁
キィ
出動準備だ！
護送中の犯人が逃走した！
なんだって！
ひょっとして葛飾署《かつしかしょ》にいた犯人ですか？
そうだ！浅草署に行く途中車をぶつけてな！
あっしも行きます！
おまえは足手まといだから来なくてもいいのに…

村瀬賢治
集英会《しゅうえいかい》幹部
だったが現在 破門
台東区《たいとうく》浅草付近で
パトカー内で乱闘
車を ぶつけ
そのまま逃走
金龍山
雷門
集英会を うらんでおり 組に なぐりこむため 逃走した 可能性が強い
集英会のある 浅草X丁目 および その 周辺を…
葛飾署より 30名応援に まいりました!
うむ ごくろう
犯人は 銃をうばって にげている 十分 注意 してくれ!!
犯人の 手がかりは?
犯人は いずれ 集英会のある この場所に あらわれるだろうが 足取りがつかめん!
中川 ここで まっていろ!
え!?
流質 高級 トツカヤ
ん!? 両津は どうした?
それが その…

ツルヤ
逃走してる男は 先輩の同級生なんです
なんだと!?
浅草ならうら路地までしってるからな!
見つかるものか!
集英会め! まっていろ
今 復しゅうしてやる!
両津!!
浅草の うら路地は よく おまえと いっしょに 鬼ごっこをして 遊び回っていたろう!
おまえの よく通る 道は おぼぇて いるさ!
それに 集英会に 行く路地は この道しかない!

そこをどけ！
今度はピストルごっこか!!
なつかしいな！さあこい！
本気だぞ！撃つぞ！
ドギュッ
うわっ!!
拳銃の音が!!
なに！
いそげ中川！
犯人にちがいない!!

どりゃあ!!
どうしてもジャマをする気か！
あたりまえだ!!
うわっ
なんだいあんたら？
他人《ひと》の家こわすんじゃないよ！

ちくしょう!
何が おまえを変えたのか しらんが…
人生を投げた時点で おまえの負けだ!
うるさい!!
だまれ!
あっ!
ガッ☆
大バカ野郎!
部長! こっちです!
先輩たちが いました!
ザバ

すぐたすけに…!
まて中川!
この場はあいつにまかせてみよう
え!?
小学生のころ成績はいつもおまえがトップだった
しかしわしら子どもたちにとってはちっとも自慢にはならん!
逆にきらわれてクラスの男たちにいじめられていたっけな!
運動もにが手なおまえにわしが特訓したのはベーゴマだ!
当時の男の子にとってその勝ち負けが尊敬の対象になった!
やった賢坊の勝ち!
ちくしょう!あいつ力がないくせに強え!
べーだ!いつでも相手になってやるゼ!
見て!! 両ちゃん勝ちとったベーゴマがこんなにふえたよ
賢坊のは大型をペチャにした特製ベーゴマだ おまけに左ききだから ぜったい負けないよ!

七十…八十…九十…すごい！ちょうど百個になった！
えっ!! 百個も！
すごいなあ 元は この一個のベーゴマなのに！
賢坊にかなう奴はもう町内にいないな！明日は ほかの町内に行こう！
自分の力で勝ちとった あの時の笑顔は わしも はっきり おぼえてるよ！
えっ 引っこすの!?
うん 急に きまってしまったんだ！
おとうさんの仕事で渋谷《しぶや》に引っこすんだって
ざんねんだな！せっかくベーゴマチャンピオンになれたのに！
今まで勝ちとったベーゴマ両ちゃんにあげる
私立中学にはいるから もう 遊ぶ時間ないんだって！
せっかく百個も集めたのに…男の勲章だよ！このベーゴマは！
ううん！でも みつかったらすてられてしまうし…
ジャラ ジャラ

そうだ！いい考えがある！
え!?
この木の下にうめておくんだよ ぼくらの宝物として！
そうすれば いつでも使いたい 時に出せるじゃ ないか
ザッ
そうか 両ちゃん 頭いいいな!!
何やってるんだよ おまえら！
あっ いじめっ子だ！
おまえだな 賢坊は？ ベーゴマの ベーゴマ よこせよ！
うわあ たすけてよ 両ちゃん
おい！やめろよ！
なんだって おい！
グイ
うわ！

手をはなせ!
ドス
ぐっ
なまいきなガキだこいつっ!
あっ両ちゃん!
なまいきでわるかったな!!
あいたたた!
狂犬みたいな奴だ!
歯の強さは町内一だぞ!
さすが強いね六年生をやっつけちゃうなんて!
へへへケンカなら負けないよ!
ガッ
両ちゃんがその強さで悪人になってもぼくが弁護士になってきっとたすけてあげるよ
はは…はきついな…賢ちゃん…
ふっ…そう言っていたオレがヤクザになっておまえさんが警官になっていた…
世の中思い通りにならないものだな両ちゃんよ!

思い通りいってりゃわしは総理大臣だぜ
ははは ちがいねえ!
なぐりこみなんてどうでもよくなってきた
言う通り自首するよ!
元もと優秀な頭を もっているんだ! いくらでも再スタートできるぜ!
ふっ 出おくれのスタートだ
おい 警察はむこうだよ
わかってるよ!
ちょっと寄りたい所があるんだ
心配するな かならず自首する
先輩 どうして逮捕しないんですか?
あっ 中川!!

花やしき通り
ピーポー
ピーポー
中川! 大丈夫だ 奴はにげやせんよ
ROBOT POLICE
犯人自首で ぶじ事件も 解決して よかったですね
心配 しましたよ あのまま また 逃走して しまうかと 思って…
説得して 自首させる なんて すごいわね!
わしの 同期の 奴なんだ ぞ!
悪い奴など おらん! みんな根は いい奴 ばかりだ
クラスで一番 できの悪い 両津だからこそ 説得力が あったのだぞ!
大きな おせわ ですよ!

たしかこのあたりだったたな…
あっ!!
掘りかえした跡がある
村瀬にちがいない!
どこかに寄ると言っていた言葉が気になってたのだが…
やはりこの場所だったか!
手紙が!?
勘のいいおまえのことだ おそらく おまえも この場所へ 来てることだろう

25年前のオレに もどらせやがって！
百人斬りのベーゴマは しばらく借りる
ことにする これはオレの誇りだからな
2001年に
会うのを たのしみに
してるよ
賢治
あいつめ
この宝物は
21世紀になったら
いっしょに
開けよう！
2001年かぁ
40年後
だね…
40年後は
両ちゃん なんに
なってるかな
もちろん
総理大臣さ！
賢坊は
頭いいから
弁護士だ！
ぜったい！
そうかなあ
引っこしても
わすれないでね
ぼくたち一生
友だちだよ
あったりまえさ
そんなこと
ぜったい
わすれないよ！
2001年の元旦に
また ここで会うのが
たのしみだな
よし！
もっと深くに
うめとこう！
みつからない
ようにな！
ザッ
ザッ

キャ
ワー
キャッ
せっかく浅草に来たことだ…
親父《オヤジ》の所へ顔出してくるかな!

★週刊少年ジャンプ1987年49号

キツツキパニックの巻《まき》
年の瀬も近くなって風が身にしみるな！

派出所もそろそろ大そうじの時期か！
あれが一番面倒なんだ！
おや？
やめろ！おい
口だけは一人前だなこいつ！
変なヤツ！
おい！3対1は卑怯だぞ！
ケンカじゃないよキツツキひろって来たんだ
ありゃこいつ話せるのか！
ちくしょう
首輪をしてる所を見るとだれかが飼ってたようだな
うんそうらしい
なんだよー

わしがもち主をさがしてやるかせ！
やだよ
ぼくらが見つけたんだから！
しようがねえなあ！じゃあ ひとり50円ずつやるから
ひとり100円にしてよ！
100円！
まるで浦島太郎《うらしまたろう》だよ！まったく！
どこで金が出るかわからんな！
あっ 神様！それなんです？

見りゃ
わかるだろ!
鳥だよ
食べるんですか!?
ガチャ
くわっ
あっ
なんで わしが
キツツキを
食べなきゃ
ならんのだ!
おい!
す すい
ません!
つい
普段の行動
から 食べると
勘ちがいして!!
全然
言いわけに
なってないぞ
バカ!
おまえは
コンピュータ
でも
作ってろ!
うわっ
うあっ
なんてことするんだ
せっかく 作った
コーヒーが
こぼれちゃったじゃ
ないか!
すみま
せん!!

新しいメカを開発しろ！おまえは！！
人の邪魔するな！
はい！はい！
カッ
あいたあ！なんでこうなるんだろう!?
神様に声をかけるんじゃなかった…
あっその鳥どうしたんです？先輩
迷い鳥だ！近所のガキたちが見つけた！
まあ！かわいい！
この冬もまたそのストーブかよ新しいの買えよ！
予算がとれないんですよ！我慢してください
さむい！さむい！
えっ！その鳥しゃべるの!?

だから連れて来たんだ もち主の住所を言えるかもしれんからな！
すごく頭のいい鳥ね！
主人の名はなんだ？ 言えるか？
尾前馬《おまえば》可太郎《かだろう》
おっ 言えた
えーと 尾前馬《おまえば》可《か》…ん!?
お・ま・え ば・か・ だ・ろ・う
はっはっは おまえバカだろ
こりゃおもしろい！
かっかっかっ
中川どけ！ こいつをやき鳥にしてやる！
ぎゃあ やめちくり！
主人の名は竹下《たけした》くだるだよ！
住所は東京都目黒区《めぐろく》栗《くり》の木坂《きざか》8丁目…
そうやって素直に言えばいいんだ！

今 電話して むかえに来て もらうからな まってろ！
ピ ピ
あー もしもし！ 竹下さんの お宅ですか？
実は お宅の 鳥を預かって いるんですが…
たすけて〜!! 鳥さらいだあ!!
あ!? こら！
身代金 はらっちくり〜 殺される〜 ギエ〜〜!!
ちがう 犯人じゃない わしは 警官だ！
迷子の 所を ひろったん だ
ギャー
とにかく ひきとりに 来てくれ！ 亀有公園前《かめありこうえんまえ》派出所《はしゅつじょ》だ！
夕方？ わかった 印鑑を わすれん ようにな！
やかま しいぞ てめえ！
やかま しいぞ てめえ！
人のマネ するな！
人のマネ するな コノヤロ〜〜！
なんだ てめえ！
やだあ 両ちゃんと 声が そっくり！
どっちが 本物だか わかりま せんよ！
はなせ おい！
くるしい だろ！ くそ！
気味の 悪いヤツだ！

こいつの面倒は麗子にまかす！
煮るなりやくなり勝手にしろ！
いじめられてかわいそうに！何か食べ物あげるわね
エサ！ちょーだい！エサ！
おはよう
部長おはようございます
おはようございます
部長、おバカでございます
ピク
どういうことだ？両津！
私じゃありません！このキツツキが言ったんです
キツツキがしゃべるはずないだろう！
本当なんです！話すキツツキなんです！

今のは
おまえの声だ!
ゴマかせると
思うのか!
あいた!!
コン
どうしたんだ
その
キツツキは!?
迷子になった
らしいんです
今もち主に
連絡しました
けど…
ちくしょう!
こんな仕事
やってらん
ねえよ!
あっ
ピク
言いたいことが
あるのなら
目の前で
言ったらどうだ
!
私は別に
言いたいことは
ありませんよ!
いつでも
再就職の
面倒は
見てやる!
いつやめても
いいんだぞ!
言いわけ
すればするほど
ドロ沼だ!
ちくしょう!
おとなしく
仕事してた
ほうが
よさそうだ!

先週の赤い自転車もち主が見つかったそうです
そりゃあよかった!
これがもち主の住所と氏名です
書類に書きこんでおこう!
この字なんて読むんだ?
羽生《はにゅう》です
けーかんのくせに漢字も読めねえの!
かっかっかっ
無視無視 相手にするとよけい調子に乗るからな!
ROBOT POLICE
Box
すみません! おサイフが落ちてたんですけど…
いやあ感心な学生だ!

調書をとるからちょっとすわってくれ！
ガタッ
はい
ねーちゃんええシリしてまんな!!
えっ!?
今のはわしの声だがわしじゃない！
気にしないでくれ！
三丁目の電話ボックスにおいてあったんです
場所は三丁目の電話ボックス…と
えーとそれからスリーサイズはいくつかな？ねーちゃん
本官それを聞くのがたのしみでたのしみで…
きゃあ！
中川！調書はおまえにまかす！
は…はい！

二度としゃべれないようにしてやろうか!?
ぎゃ～たちけてくり～!
鳥ごろし～!
ググ
乱暴なことしちゃだめよ! 両ちゃん
もち主がとりに来るまで辛抱してあげて!
そうよ! 辛抱してあげて!
悪いことをしたらしかるのは当然の義務だ
ちょいとばかりせっかんをしてくる!
相手が鳥じゃどうにもならないな
どうやってせっかんする気かしら?
ズギューーン
ズギューーン
ギュュ!!
大変だ! うち殺してしまった!!

先輩 はやまったことを!!
あれ 生きてる!?
ギャー
ギャー
わしは撃ってない!! こ・い・つ・が・やったんだ・!
見ろ! 一発も発砲してない!
ジャラ
しかし銃声がたしかに…
声以外も出せるのね!
ピーポーピーポー
ウ〜〜
サーカスにでも 売りとばすか!
押し入れに入れとけばしずかにしてるだろう!
少しかわいそうだけどね
先輩 団地に乗りすてのスクーターがあるんですがとりに行ってもらえますか?
ちえっ そういうのはいつもわしだな!

これです！
こんなにあるのかよ
カギがこわしてある！駅前の放置バイクやかっぱらったバイクだな
こんな所へ乗りすてて行きやがって！
暴走族やバイク小僧が夜中 部品をかっぱらいに来るんですよ！
ガタン
わかった全部かたづけてやるよ！
夜中 暴走族のバイクや車がうるさくて眠れませんよこのあたりは
なんとかなりませんか？おまわりさん！
アラブの原油が出なくなるまで気長にまつしかないね！
Robot Police Box
ROBOT POLICE
亀有公園前

一方 派出所《はしゅつじょ》では
ガタガタ
ふう やっと出られた
鳥をなんだと思ってるんだくそ!
だれもいないぞ!
チャンス!
しかえししてやるぞ!
ガチャ
ピピピ
もしもしおれだ!
両さんですね! まいど!

特上ずし500人前派出所へはこべ！
げっ500人前!!
本当にとどけて…
はい！コーヒーショップですが！
わたし派出所の麗子ですけどパーティーなのコーヒー1,000人分すぐおねがいね！
は はい！まいどあり！
ふう！もう少しで派出所だ
なんだこのありさまは!?
先輩！すしを500人前たのんだんですか!?
あっ!!

そんなにたのむはずないだろうが!!
たしかに両さんの声だったけど…
車を買うからすぐもってこいと部長さんから電話があったんですが?
私もビデオデッキを10台まとめて買うと言われたので…
わたしもテレフォンショッピングで毛皮のコートをたのんだらしいの?
ちょっと留守してたスキにこんなになっちゃって…
原因はあいつしかいない!
ガ
ラ
ちゃんとしばられたままよ!
他人のいたずらじゃないですか?
わしはチョウむすびにしたおぼえはない!
サッ
サッ
ギュッ
やはりおまえか!

先輩！先輩！
止めるな！こいつをやき鳥にしてやる！
その鳥のもち主がいらしてるんです！
まあピーコちゃん心配したわよ
あんた！この鳥のおかげであんなさわぎになったんだぞ!!
はいはいいつものことですので
いつものこと!?
うちのピーコちゃんは小さい頃からイタズラ電話が大好きなのよ！
ズラ～リ
全部の品買いとらせてもらうわ！カードでおねがいね
どうもすみません奥さん！
うちのBM《ビーエム》Wも買ってもらえるんですか？
いやあよかった！

★週刊少年ジャンプ1988年3・4合併号

HAWAII·GUAM·SAIPAN·EUROPE·
東京旅行コンサルタ
東南アジア·ヨーロッパ·アメリカ·国内旅行·その他なんて
秘境の温泉さがしておいたよ 両さん
観光客のいっぱいいる秘境の温泉やTV《テレビ》で放映している秘境の温泉はイヤだぞ
今 旅行シーズンでどこも人でいっぱいだよ しかし この温泉はだれもしらないはずさ!
品《しな》備《び》多《た》温泉《おんせん》 ここは穴場中の穴場だよ
品備多温泉
京都
沖縄
北海道
品備多温泉? 聞いたことないな?
当然だよ しらないから秘境なんだよ!
品備多温泉
最近 温泉が湧いたという最新の温泉郷だから まだ観光客が少ない!
その村自体はひなびた村だから秘境ムード満点だ!
よしきめた!
秋の旅行はこの温泉にきまり!

幻の温泉郷の巻

幻《まぼろし》の温泉郷《おんせんきょう》の巻《まき》
品備多温泉?どこにあるんですか?

こちら葛飾区亀有公園前派出所
おへやは
地図にも載っていない小さな村だ！秘境とよぶのにふさわしい所だ！
部長のご希望通り秘境の温泉をさがしてきましたこの温泉なら部長の腰痛もたちどころになおります
そうか！それはたのしみだな
混浴があるから温泉旅行をえらんだんでしょう
何を証拠にそんなことを！すべて部長の腰痛のためだ！

ブロロオオ
本当にこの道でいいんですか？
地図に載ってないんだからわからん！
パンフレットには北北西にむかって進めと書いてあるからこのまままっすぐ進めばいいんだ
宝物さがしに行くみたいですね
こういう所だからこそ観光客が少なくていいんだよ！
ガタ ガタ ガタ ガタ
帰れるかどうか不安だな？
けもの道になってしまいましたが…
ガサ
ガサ
いいからまっすぐ進め！
あったあれだ！

本当にひなびた村ですね
だから秘境の温泉なんだよ！
おいでませ
品備多村へ
ガタ ガタ ガタ
きた！あの車だべ！
よし！しらせてくる！
観光客が来たぞ！
スイッチを入れたぞ！
グイ
グイ
いそげ!!
カラン
カラン
あっ合図だ！
「箱根《はこね》の湯」でもよかんべか？
なんでもいい！
サラ
サラ
みやげ物屋もけっこうあるぞ！
ブロロロ…
そういう所はしっかりした村だな！
温泉みやげ
ペンダント
まんじゅう

ホテル
エグゼブティブ
HOTEL
エグゼブティノ
いらっしゃい!
わらぶきのホテルかよ! サギみたいだな!
どうぞすぐ食事にしますだよ
温泉屋
その前にさっそく温泉に入りたいな
え!? 先に!?
ちょっとまってくださいよ!
温泉の用意はできたかって!?
まだだべ
まだ下のほうが水だ! あと10分
あと少しでわき…いやちょっと混んでまして
あと10分ほどまってください
ほかに観光客がいるのかよ
じゃとりあえず荷物をおこう!
そうですね

ほう この村に4か所も温泉があるのか
はい！ この村の温泉は日本一ですから！
品備多温泉
山の上の温泉もおもしろそうだな！
そこに行ってみましょうか！
そこの温泉は今日休みなんですよ！
バカな… フロ屋じゃあるまいし
だんな様温泉がよろしいようです
そうか いやあよかった！
ごゆっくり温泉でおつかれをおとりください
変な番当だ！
湯けむりがただよい やっと温泉郷に来たという感じだな！
私がえらんだ温泉ですよ！ 最高ですよ！

こういうひなびた温泉に来るのは通ですよ
だれも温泉に入っとらんな！
よし！一番のり！
ダッ
バシャッ
ひゃあつめてーっ!!
ザバッ
水だ!? どうなってるんだ!?
まさか…
お客さんそこはダメです！
ここは温泉でなく池なんです！
そう！池です！
脱衣所までつけやがってまぎらわしいじゃないか！

なぜここも・・・わかしておかなかったんだ？
2か所もわかすと予算が…
うむ ここここそりっぱな温泉だ！
ほうどれ？
ザバシャッ
温泉にしてはちょっとぬるいですな
そうだな
はやくボイラー係にわかすようつたえろ
はい！
じゃ45度にしよう！
ゴボゴボ
だんだん温泉があたたかくなってきました
わしらの会話が聞こえたのかな？ふしぎな温泉だ！

両津はどこへ行った?
ホテル エグゼブティブ
HOTEL
近くに混浴温泉があるからと入りに行きました
まったく夕食も食べずにそんな所へ行くとは!
お客さん! 今夜は温泉に もう入らないと言ったでしょう!
わしらは入らんが! あいつだけ行ったようだ
それはまずいですよ!!
いそいで連絡しなきゃ!!
ガラッ
ひゃあっ!!
番頭!! よくもだましてくれたな!!
ゲイ
どうしたんだ両津!?

この村の温泉はうそっぱちなんですよ！温泉なんてはじめから無い！
えっ なんだって！
昼間の温泉は⁉
ガスで わかしてたんだよ！人工的に作った温泉だ！
湯沸かし装置が近くにあったよ！だましやがって！
ドタ
どうも申しわけありませんお客さん！
だますつもりはなかったんです！
近ごろは観光地に温泉がないとお客さんが全然こないのです！
村をあげて温泉発掘してたのですが途中で村の予算がなくなってしまいまして…
そのためにあのような温泉を作って急場をしのいでいたのです
ううう…
そうだったのか考えれば気の毒な話だ…
この村には観光名所も何もないので…温泉でもないと人をよべません！
温泉がなかったら我われも ここへ来ませんでしたからね部長！
うむ重要な問題だな！

温泉は出るのかよ このあたりは?
はい 調査して もらった所 可能性は あると…
あす その 工事現場に 案内しろ!!
はい いいですけど…
50メートルまで ボーリングした 所で 予算が ストップしまして……
そんなんじゃ 井戸水も 出やしないよ!
中川 どうだ!? 温泉脈は あるか?
相当 深く掘らないと ダメみたい ですよ!
乗りかかった 船だ! スポンサーに なってやれよ! 大観光地に なったら 倍がえしと いうことで!
え ええ ぼくは いいです けど…
よし きまった 工事は 我われが 受け継いで やる!
ワァ
本当 ですか!!

ドドドドドドド
ガガガガガ!
もっと深くもっと!
岩盤なんてジャンジャンぶちやぶれ!!
大丈夫ですか? そんなに掘ってしまって…
地球の中心まで掘ればそのうち温泉脈に当たる
ドドドド
出た! 湯が出ました!!
ブシュウウ
あっ!!
おおっ!!
やったぜ大当たりだ!
出たぁ温泉だ!
ガアアア
ひゃっほう! 本当に出たぞ!
さっそくお祝いだ用意しろ!
ワーッ

いやあ やはり本物の温泉は最高だ!!
わかす必要がないからな!
これもお客さんたちのおかげです
ははははは
ははははは
備多村温泉発見記念
ゴゴゴ
ゆれますね 地震ですか?
工事だよ 工事!
まだ掘ってるんですか?
二番目 三番目の温泉脈をさがしてるんだ
ここは今に大観光地になるぞ!
ジュウウウ
ぎゃあ! あちちち!!
あちちち!
バシャッ
あちちち!

いきなりあつくなったぞ!!
ん!?
ゲッ
ゲッ
ジュウウウ…
ドロドロ
げっ!!溶岩だあ!!
ドドドド
うわっ!!!
ドドド

ドドドドド
ボーリングの機械がマグマまで掘りやがったあ!
うわあ!!
ゴゴゴゴゴ
深く掘りすぎですよ!
今さらおそい!!
木の上でやりすごそう!!
パパッ
うわわっ!!
メキメキ

ドドドド
ひいいい
たすけて
くれ!!
なんの!
身の軽さを
見よ!!
ぎゃあっちっちぃ
ジュウ
ゴゴゴゴ

翌日《よくじつ》ー
うーむ… えらいモンを 掘り当てて しまったな！
どこが 大観光地 ですか！ 一瞬にして パアですよ！
バカ者!! これごときで 弱音を 吐くな！
わざわい 転じて 福となすだ！
どうやって 福に するんです ？
さいわい 温泉脈は まだ使える 大丈夫だ！
溶岩を 全部 とりのぞく 気ですか？
そんな手間 かけられるか！ その状況のまま 利用する！
中川！ たしか おまえが 主催する バイクレースが あったな…

第15回
スーパークロスレース
品備多溶岩
レース場を使っての
初レースです
鬼のせんたく板以上の
起伏に富んだハードな
レース場です
転倒車が続出!!
レースが読めません!!
ハードコースで
いやがうえにも
観客は盛り
上がります
本日の観客数は
ゆうに一万人は
こえています!
村 はじまって
以来ですよ
こんなにお客様が
来るなんて!
レースは
毎月
あるからな!
ふだんは
練習コースとして
貸せば 若者は
たえず来る!
レース まんじゅう
レースで汗を
流したあとは
温泉で ゆっくり!
あとは でかい寺でも
建てれば 若者から
おじいちゃんまで
たのしめる大観光地に
なるぞ!
ここは!
転んでも
タダじゃ起きない
ヤツだ!
おそろしいヤツ!

★週刊少年ジャンプ1987年46号

燃えろ！波《ぱ》理《り》高《だか》山《やま》ラリーの巻

なに!! 麗子も出場するだと!?
『波理高山ラリー』でしょう! 婦警チームとして友人と出場するわよ
きったねえな! 賞金の額が上がったとたん出るなんて!!
ちがうわよ 交通課の腕を ためす いい機会だから 出場するのよ
麗子のやつ ドライビングテクニックはプロ級だからな! くそ!
あの… ぼくたち ロボットチームも出場するんですけど…
なんだと!

炎の介さんが ロボットの地位を 高めるため 出場しようと…
来年 出場すれば いいだろうが! 今年は 中止にしろ!
コン
先輩!! 聞きましたか!?
え!?
今年の『波理高山ラリー』の 出場台数が最終的に 300台に なったそうですよ
なんだと 300台だと!
こんな時に 仕事など してられるか!
中川! はやく帰って 車の整備を しよう!
欲の皮の つっぱった連中に 負けて たまるか!
自分が一番 欲の皮が つっぱってると 思うけど…
ボクも そう 思います

優勝賞金
一億円を賭けた
『波理高山ラリー』が
今 スタートしようと
しています!
わずかなガソリンで
頂上の折り返し地点を
経由し ふたたび
この地点へもどってくる
というレースです!
START
RALLYE
最先端
エレクトロニクスを
導入した
道を えらばぬ
高性能カー
です
ロボットの
力を
人間どもに
見せてやる
ぞ!
女性は
わたしたち
だけだから
がんばりま
しょうね!
ROBOT

ゆうべ 車をいじってましたが何かしたのですか?
え!? 全然 記憶にないなぁ…
日頃の腕を見せてあげるわ!
スタート10秒前!!
スタート!!

それ!!
ダッシュ!
パチ
ヴオオオオオ
うわっ
なんだ
!?
前が
見えん
!
エンジンの
調子が
悪くてね!
失礼!!
うわあ
すごい煙
麗子
大丈夫!?
何かは
やると思って
たわ!
このくらい
平気よ
前方管制
装置を見て
運転して
ください!
うむ!
レーダーみたいな
物だな!
これがあれば
まっ暗でも
安心だ!
わははは!
あっと言う間に
トップ
グループだ!
正義は
勝つ!

あんな仕掛けを作ってたんですか先輩!!
その通り! レースというのは弱肉強食だ!!
おい! 止まれ!
キキッ
この先通行止め キケン
あっ! そんなひどい!
バカ者! コースを変えるのはレースの常とう手段だ!
この先 通行止め キケン
これで後続車は通行止めのほうへ進むぞ!! わははは!!
うおっ! なんだ!?
キキキ
こっちの道が通行止めみたいですよ!
しまった!! だれかがすでに看板を変えていたんだ! ひきょう者め!!
くそ! 正しくなおしてしまった!!

悪路のうえ
細い道だから
事故が
出始めてるわ
ブォオオオ
両ちゃんたち
先に行ったはず
なのに全然
見えないわね
ずいぶん
はやいわね!
ロボットくんチーム
の車だわ!
ぬかせて
もらうわよ!

派出所の麗子か！ダイナミックな走りだ！
アウトからぬいて行くとは！すごい！
後ろからものすごいいきおいで一台来るぞ！
ビィィィ
あっ!!神様だ！
ロボットチームか！じゃまだ！じゃまだ！
どけ!!どけ!!
うわっ落ちる！
ギャギャ
ぎゃあ
ひどい〜！車の性能も発揮しないでつぶされた!!
なんてやつだ！ちくしょう！
先輩!!ぼくが運転しますから!!
おまえじゃダメだ！一気に差をちぢめないと優勝できん！
298台もぬいたんだぞ！

おっ!! 先頭の 麗子の車を とらえた!
あいつを ぬけば トップだ!
すごい いきおいで 追いかけて 来るわよ! 麗子!
追突 する気ね! ようし!
スピードを 落としたな! チャンス
麗子め! 地獄に 堕ちろ!!
バイ! バイ!
ヒョイ
スポッ
ひえっ! 川が!!
ぬおっ!

パン
パン
おおっ
コースに
もどった…
ラッキー!!
ダ
悪運が
強いわ
ね!
水すまし
みたい!
ガク
ガク
ガク
あら
!?
どうしたの
かしら?
パンク
みたいよ!
まさか
チューブレス
なのに!?
あっ
!
これじゃ
チューブレスも
ひとたまりも
ないわ!
もう!
よく こんな
卑劣な物を
作るわね!
わはは
ざまあ
みやがれ
!!
これで だれも
追って
来られまい!
バ
オ
オ
オ

念のために
オイルも
目いっぱい
まいておこう!
まったく!
まだ安心
できん!
どこへ
行く気
ですか?
ぬ!
ガラ
ガラ
あっ!
道を…
これで
トップの座は
安泰だ!
こんな
マネをしてまで
勝っても
うれしく
ありませんよ
あとは
ゴール地点まで
くだって
行くだけです!
わはは
もう優勝は
きまったような
ものだな!
山頂ポイント地点
山頂ポイント地点

のぼりより くだりのほうが テクニックが 必要ですよ!
後続車は 思い切り ひきはなした からな! 余裕だよ
いざ ゴールへ 出発!
なにい ガソリン 切れ!?
前半で アクセルを ふかしすぎたん ですよ! 先輩の運転は 荒いから
ここで リタイアですね!
トップで 走りつづけて いたのに くそ!
ガン
ちくしょう 後続車が どんどん頂上に 追いついて来た!
リタイアした 車から ガソリンを かっぱらって来る まってろ!
あきらめが 悪いな!

ふう…もって来たぞ
あれ!? 車移動したのか!?
走行の邪魔になるからどかしたんです もう30台くらいぬいていきましたよ!
ブオオオオオ
勝負はツーアウトからだ! 逆転ホームランということがある!
50点くらいの点差がありますよ!
くそ! いそいでるのに…フタが…
イラ イラ
ガチ
てめえこの!
ドン
あ!?
あっ!!
グラ
ガタッ
ズ
ズ
ズ

これで…もうのぞみも消えましたね
まだ!あきらめんぞ!!
せっかくガソリンをもって来たんだからな!
すごい執念だ!おそろしい…
ザザザ
うわぁ

ガガッ
ガタッ
ぐわっ
やったぜ！
車のスピードがゆるんだ！
ザザ
ザザ
タタッ
ひゃ
ザザザ
よし
いいぞ！
ガロン
そのまま
まっすぐこい！
タタッ
はっ

つかまえたぞ!!
ガタ ガタン
すぐガソリンを入れてやるぞ!
ん!?
ガソリンより運転のほうが先だ!
ガタン
はやく運転席へ!
うおっ!!
うわっ!?
すごい運転だ!あの車!!
ガケからおりて来るとは!

ゴール真近！
ゼッケン9番
すごい 追いあげ
です!!
道なき道を
一直線に
つき進んで
おります！
ガッ
ゼッケン77番
ゴールまで あと
50メートル!!
SUPER RALLYE
GOAL
あ
!?
GOAL
DUNLOP
YOKOHAMA
ゆ…
優勝
…
…で
いいの
かな？
しーん
カラ
カラ

あまりの劇的な逆転優勝のため観客は騒然としてます！
しかしトップでゴールに入ったということで優勝です
やったあ!! 一億だあ！
勝ったぞ！
レース役員との話しあいがつづいていますが表彰は もう少しょうおまちください！
ザワ
ザワ
ザワ
本部
・・走行と言うより山から落ちたという形ですからね！やはり一位は無効に…
何を言うんです！あれは経済走行法という新しいテクニックです
岩を落としたり油をまいたりしたと みんなが言ってますが…
マキビシのような物も…
私がそんなマネするはずないでしょう！人まちがいです
ガヤ
ガヤ
ガヤ
ガヤ
言いわけの天才と呼べる両ちゃんも今度ばかりは苦戦してるようね！
何しろ一億円だからね簡単にひきさがらないと思うよ！

★週刊少年ジャンプ1988年１・２合併号

おトイレ貸してくださいの巻

おトイレ貸《か》してくださいの巻《まき》

Robot Police Box
ROBOT POLICE
キキキキイ
すごいブレーキの音ね！
また自転車を改造したらしいな
あっ！ドロップハンドルに替えたんですか？
このほうがスピードが出るそれよりブレーキを見てくれ4ポットキャリパーつきディスクブレーキだぞ！

ポルシェやフェラーリの高級車のみにつけられてる品だ
制動力100％！
よく自転車につきましたね
中古車屋でポルシェ911ターボのポンコツがあってブレーキだけ売ってもらったんだ！
ガタッ
重くてよけい走りにくいんじゃないですか？
そこは体力でカバーできるがいかんせんベースが実用自転車だからな！
いくらスポーツタイプに改造した所でギアつきのロードマンのほうが速い！
警察の自転車をあまり改造しちゃまずいですよ
スポーツ車はタイヤが細いからバンク角が少ない！ワシのは太いからカーブでは負けんぞ
事故などおこさないでくださいよ！
今度スピードメーターをつけよう！80キロを出す自信がある！
体力がありあまってるものね！いつも！

その通り！うごく核エネルギーとよばれるほどだ
おっラムネ見っけ！
これはなつかしい!!
ジャラ ジャラ
いただき！
今日は紅茶ね！イギリスのフォートナム&《アンド》メイソンで買ってきたアールグレイよ
おうサンキュー！
ボリ ボリ
あら？
もしかしてこれ…食べてしまったの？
ああけっこうおいしかった！
これペット用の下剤よ！
なんだって!!

なんでワシの机に 置いておくんだ!?
バッグに入らないからほんのちょっと置いといただけなのに…
中身もたしかめずなんでも口に入れてしまう先輩にも問題がありますよ!
うぬ! 中川まで!
おなかの具合どう!? 大丈夫!?
わからん! 今は まだなんともない!!
中川! 下痢止めと弁当を買ってこい!
え!? 弁当!?
いいからはやくしろ!
そんなにいっぺんに薬を飲んで平気なんですか?
ジャラ ジャラ
目には目を! 薬には薬をもって制する!

しょせん犬用の下剤！人間には効かないと思うがな…
ボリ ボリ ボリ
動物用だからよけい心配なんですよ！
ワシを動物といっしょにするな！
ピクッ
来た!!
ガタッ
やはり…
う〜む 下痢止めが間に合わなかったか！
どうしたんです？いきなり食べはじめて!?
ガッガッガッガッ
こういう時こそいっぱい食べといたほうがいいんだ！
体力のあるうちにな！

ぬおっ!
もはやこれまで!
緊急手配
ガタッ
なんてこった!
勤務早そうこんな目にあうとは…
大変なことになったわね!
下剤を全部飲んじゃったからね
Robot Police Box
ROBOT POLICE
亀有公園前派出所
10回もトイレに行ってるんだぞ あたり前だ!
ピンときたら110番
顔色が悪いですよ!先輩!!

ムリをして食べないほうがいいですよ
そ…そうかな? 出る一方じゃ体力が なくなると思って?
食べるからよけいに出るんじゃないですか?
かもしれん… ワシの理論はまちがってた気がする…
110番
ぐおっ
来た!!
イスにすわるのはよそう!
刺激をあたえるとまずい!
回を増すごとに固体から液体に近くなってくる
トイレに行くのも大変な作業だ!
ソロ
ソロ
ガガ
シャシャ
ぎょへっ

ごめんなさい
大丈夫？
全快したらぶっとばしてやるからな！
おい両津!!
あふっ
何してるんだ！そんな所で！
ちょっちょっとトイレに…
荷物がとどいたんだはやく手つだえ!!
グイ
あっダメ!!引っぱっちゃいや!!
刺激はいけませんからちゃんと
みょうな歩き方しおって！
ソロ
ソロ
さっさと行かんか
トーン
あひっ

署にあった冷蔵庫をもらってきてやったぞ！
派出所の冷蔵庫は調子が悪いと言ってたからな！
ワシが上からおろすから下でささえろ！
え？私が？
先輩代わりましょう！
おまえの力じゃムリだ！かえってじゃまになる！
力まないでショックをあたえなければ大丈夫だ！
ムリしないでくださいよ
あっ両さんよ
ほんと！おどかしてみようよ
えっ！荷物をもってるわよ
大丈夫よ両さんてすごく力もちだもん！

後ろから
そーっと!
ね!
うん!
部長
そおっと
おろして
くださいよ
そっと!
わっ
ズ
ズ
ズー
あら?
おい
どうした
?
グニャ
先輩!
どう
した!?
両津!
ダ…
ダメだ
…

なんだって!! ペット用の下剤をひとビン食べただと!?
下痢止めも飲んだのですが間に合わなくて…
しらなかった…ごめんなさい
いいから気にするな!
いくらおなかがすいたからってペット用の下剤まで食べることはないだろう
まちがえて食べたんですよ!
わ私ちょっとトイレへ行ってきます
少しょうおまちください…
ソロ
ソロ
内股で非惨なかっこうだな
あまり人前じゃ見せられませんよ
ソロ
ソロ
大変よ!!
ほにょ!
ゴロ…
ゴロ…

あっ ごめんなさい！
てめえ…わざとまってやがったな…
断水しているのよ 今！
なに!?
あっ そうそう
3時間ほど このあたり断水すると連絡があった
トイレ使えないんですか!?
近代的なロボット派出所のなら使えるかも…
トイレははじめからありませんよ
駅前派出所まで 行ってこい！あそこなら使える！
えーっ あんな遠くまで！
民間人のトイレをかりるわけにいかんだろ！
先輩！自慢の自転車でひとっ走り行ったら？
そんな物乗ったら気絶してしまうよ！

な なんて… 遠いんだ 一歩一歩 ふみしめて 歩いてたんじゃ 1時間かかる
もう… ダメだ 限界だ…
花田
ランドリー
ここじゃ 人目も 多い どこか 草むらは ないか?
こうなりゃ 恥も外聞も あるか!
道路の 真んなか 歩くなよ
個人
ワシを だれだと 思って…
みかん
この… 人が 一大事 だと 言うのに …
うっひょっひょ
だっだめだ むほほ~ !!

おおっ広場があった!
地獄に仏だ!やった!
お巡りさん!!
うっぴよぴよぴよ!
ピク
耳元ででかい声でよぶな!くそ~!
ケンカです!
止めてくださいお巡りさん!!
声が大きいよ!
うちがこわされてしまうんですよ!
こ こら!!
ひっぱるんじゃない!
ナカガワ
大売り出し
あそこです!!
てめえ!
やろう!
アゴハズシ
伊集院楽器店
おいやめなさい!
なに!?

ひっこんでろ!!
ぐばべぼ
軽食スナック
早苗
は…腹を…
ぺぷぴぷ…ぺ
ヨロヨロヨロ
あっけなくやられてしまった…
ドタ
ここのままじゃ…なさけない
さいごの力をふりしぼって…
ググ…
よし!

うりゃあ!!
ぎゃあ
総合食品
山田青果
ひっ
つ…強い…
2秒で相手をたおした…
ガヤ
ガヤ
便所かせ
!
はい奥です
あんな大男を一撃でたおすとは…
おそろしい人だ…

ROBOT POLICE
両津は すっかり なおったのか!?
下痢のほうは なおったの ですが…
ギイ
ダメだ カチンカチンで 全然 出ない…
あとに たくさん飲んだ 下痢止めが 今度は 効きすぎて 便秘に なったん ですって!
麗子 下剤くれよ! この前の! 下剤でムリに 出すしかない!
やめたほうが いいわよ! おなじことの くりかえしよ!
この顔にピンときたら110番

★週刊少年ジャンプ1988年20号

両津《りょうつ》代表取締役《とりしまりやく》の巻《まき》

中川は二週間も休暇をとってまた外国にでも行ったのか？
いいえ日本にいるわよ
今は『都市開発会社』の取締役をやってるわ
コポ
コポ
なんじゃいそりゃあ？
圭ちゃんの所の会社よ！そこの社長業務についてるのよ
なんでそんなことしてるんだ？

圭ちゃんのお父様がバカンスで世界旅行に出てるんですって！
その間の業務を圭ちゃんが任されたと言うわけよ！
よく考えたらあいつは中川財閥の跡とり息子だからな！
下町のおまわりさんなんぞやってる場合じゃねえんだな！
どんな社長ぶりか見てみたいモンだな！
その会社どこにあるんだ？
銀座で聞けばだれでもしってるわよ！しらないのは両ちゃんぐらいよ!?
人を見くだした言い方しやがって！
銀座ー
三越
社長でしたらただ今中川インターナショナル・プロジェクトのほうにいらっしゃると思います
場所はこちらの地図に…

冗談じゃないよ 都市開発関連会社 だけでも 銀座に 二十三社も あるじゃねえか
これで六社めだ いったい中川は どこにいるんだよ まったく！
オリエンテーリング やってるんじゃ ねえんだぞ！
中川と会う だけで なんで こんな目に あうんだよ！ ちくしょう！
中川I・N・P《インターナショナルプロジェクト》
おまたせ いたしました
社長は〝港開発構想〟の 打ち合わせで ただ今 横浜《よこはま》のほうへ 行ってらっ しゃいます！
ふざ けるな！ こら！
上司が はるばる 遊びに来て やってるのに！ 全然会え ないのかよ！
いえ!! そのことを つたえましたら こちらへむかうと おっしゃって いました

もうすぐここへ お着きになります！
いいかげんなことを言うな！ 横浜から銀座までどんなに急いでも一時間はかかるぞ!!
社長の仕事なんて イスにふんぞりかえってるだけの楽な商売だと思っていたがな！
とんでもない！ そんなことしてたら現代の企業戦争についていけませんよ！
あっ 社長がもどってまいりました！
なに!?
あっ!?
JA999
NAKAGAWA
ヒュン
ヒュン
ヒュン
ヒュン

先輩 おまたせして すみません！
タッ
てっきり ベンツで帰って 来ると思って たら ヘリかあ…
社長 お帰り なさい！
先輩 食事《おひる》は まだでしょう
？
おう！
よかったら いっしょに 食べましょう
やったね 食べて こなくて よかった！
すごいな このヘリの中！ テレビ電話や ファックスまで ある
空飛ぶ 情報通信 オフィスです よ！

超過密都市の東京の道路事情はパンク寸前です
交通渋滞では都内をぬけるだけで一時間もかかってしまいますからね
これからはアメリカのようにヘリの時代に入りますよ
今 東京が大きく変化をとげようとしてますからね
東京が変わる!? 土地の値段が高くなっただけだろうが!
あれは最悪です日本政府はもっとはやくに手を打つべきでした
世界で一番時代に敏感なのは日本企業ですからね
その企業が東京改造にうごいたことが地価狂乱の引き金となってしまったのですよ
もはやこの東京は日本の東京でなく・・・世界の東京ですから
世界の東京かあ! また東京オリンピックでもやるのか?
それなら平和でいいんですけどね!
社長! デザイナーのピエール氏がご注文のスーツをとどけに来てくれました
夕方 食事されるアブダラ大使は白が好きなので白のスーツは最適です着がえてください
わかった

なぜ都内の土地が上がったかわかりますか？先輩
みんなが東京に来たがってるからだろ
その通りです 日本ばかりでなく外国企業もどんどん この東京に進出してるから地価が高騰してしまうのですよ
経済 金融においての三大都市はニューヨーク・ロンドン・東京ですがまもなく東京が一位で世界をリードする国際情報都市となるでしょう
ただでさえせまい東京がそんなことになったらパンクしてしまうぞ
むこうにあるジオラマを見てください
なんだこりゃ!?
西暦2048年の東京です
なに!? 東京湾がこんな風になっちまうわけか!?
インテリジェント都市オフィス・トーキョーです 企業の中核は すべて東京湾に浮かぶ海上都市に集結します

海上なら自由に土地が手に入りますからね
ますます人口がふえちまうじゃねえか！
東京が生まれ変わるために日本のビジネスマンは頑張ってるのですよ！
ビルばかりどんどん建てて昔っから住んでるわしらはどうすんだよ？
ぼくにそう言われても…
社長ご印鑑をお願いします！
東京改造計画ってのは江戸《えど》っ子《こ》を東京から追い出してるだけだろうが！ちがうか!?
しかし長い目で見ると日本のためですからね！
ニューヨークから国際テレビ電話が入っておりますが！
つないでくれ！
Hello《ハロー》, president《プレジデント》 Smith《スミス》! How《ハワ》 are《アー》 you《ユー》?
Fine《ファイン》, thank you《サンキュー》 and you《エンデュー》 Mr.《ミスター》 Nakagawa《ナカガワ》?
何が日本のためだ！なんでもかんでも東京に集中させやがってこんな事したらますます暮らしにくくなるだろうが

中川め 大企業のおごりが 若干 見えるな! この辺で ちょっと こらしめんといかん!
江戸っ子として!
300億を 融資しましょう はい!
じゃあ 明日十時 プリンセス ホテルで!
中川くん!
ちょっと サインして くれないか?
ぼくの サインですか? いいですけど…
すいませんが 書き終わったら 契約に 行きますから これで…
いいとも! いいとも!
あいたた… 何するんですか! 先輩
わしにも 一日社長を やらせてくれよ
バカな! とても 先輩にはムリ… ムググ…
心配するな! わしが 会社の 売り上げを のばしてやる!
しかし ひょっとすると 大赤字を 食らうかも しれんがな
大企業に対して 反逆する 一庶民の姿を 見せてやるよ

委任状
両津氏の命令に
絶対服従
すること
中川圭一
これでよし…と
あの？社長は？
社長は私用で出かけておる
たった今からわしが社長だ！
なんですと!?
委任状
両津氏の命令に
絶対服従
すること
中川圭一
東京湾臨海開発
研究プロジェクト室
計画は中止だ！やめ！やめ！
すべては白紙だわかったな!!

東京を変えるなら下水道からなんとかしろ！
だれですあなたは？
中川の上司だ今日は社長の代行だ！
言うとおりにしろ！
社長！お電話です！
なんだと？
株を売るだと？バカ者買いあされ！すべて！
ケチケチするな！500億ほどつぎこめ！
社長！契約がありますのでお急ぎください！
契約かおもしろい！行ってやろう！
派出所の先輩にしばられてニセの委任状を書かされた!!
なんですって!?
はやく手をうたないと大変なことになるぞ！
あ!? 社長!?

中川証券会社
はい 先ほど社長命令ですべての株を買いあされと……
えっ!? 社長はニセ者!!
すぐに売れ…と申されましても……
かなりの額を買ったものですでに株のうごきが出て……
手おくれです すでに数十億円の損失に……
おそかったか!!
料亭 赤坂
赤坂
社長おそいですね……

いやあ 道が こんでいてね
さっそく 契約 しましょう
ハンコは ここと ここ……と よし!
なにぶん いそがしい 身でね! じゃあ これで!
ナント オソロシイ シャチョウ ダ………
中川財閥の 中核は どこだっけ?
もちろん 中川商事 情報センター ビルです
そこへ 行け!!
はい
何を するの ですか?
社の重要 書類を!!
NAKAGAWA SHOJI CO.LTD
中川商事情報センター

かくしごとをしちゃいかん！こうして世間にしらせてやるんだ!!
バッ
いたぞ！あそこだ！
しまったバレたか！
みんな！つかまえてくれ!!
きゃあ
ダッ
ダッ
ダッ
くそ！まだまだやりたりないのに！
中川が来たとなるとやばい！はやくにげようっと！
ダッ
見失いました！
うーむ相変わらずすばしっこいな！
配電室
立入禁止
行きがけの駄賃だ！
機能を麻痺させてからにげる！
ブチ
ブチ
ブチ

あっ！画面が消えた！
フッ
フッ
作動不能だ！
コンピュータ機能がストップしました!!
ガヤ
先輩のしわざだ！配線を切断したんだ！
ガヤ
社長 本当によろしいのですか？
え？何を？
先ほど円をすべてドルに替えろという命令を…
それはニセ社長だ！やってはいかん！
はやく全社に緊急電話《ホットライン》で連絡を！非常用の配線だから作動するはずだ！
それが…
たった今 その配線を切られました
エレベーターもストップしてうごきがとれません！
自動ドアが開かん！くそ！
はやく犯人をつかまえろ!!
ガヤ
ガヤ
ガヤ
ガヤ
うう…このビルに入られた時点でこちらの負けだった！

Box
先輩がにげたのは二時間後…
けっきょく丸一日社の機能は完全にストップ
コンピュータにインプットしたデータは50%が消滅ですよ
それは大変だったな
どのくらいの損害になっちゃったの?
まだ全部は算出してないけど…たぶん…
一兆円近くになりますね
一兆円…
今回のさわぎで子会社が5社もつぶれましたからね もっと先輩があばれてたら中川財閥が傾く可能性もありました
わずか二時間で…
悪魔のような奴だ…

両津はつかまえたのか?
警備会社が必死で追ったのですが…
先輩はぼくの服を着てましたからね! そこからサイフをぬきとり…
十枚のC.C.《クレジットカード》で次つぎに銀行からお金をおろしまくり…
十億円ほどもって香港《ホンコン》へ高飛びされました!
大犯罪者の典型的なにげ方だ…
あたしが圭ちゃんの社長業のことおしえたばかりに…ごめんなさい…
気にしないで! いい人生勉強になったよ 骨身にしみるほど…
一か月後
ROBOT POLICE
先輩全然帰ってきませんね
もうすぐ十億使い切るころだ そろそろもどって来る
大変! 両ちゃんがテレビに出てるわ!!
なんだって!

★週刊少年ジャンプ1987年50号

顔は口ほどに物を言いの巻《まき》
子ねこを
さがして
下さい!
名前・チビ

うおっす!
あっ
どうしたんですか? その頭は?
え!?
頭のてっぺんがペッタンコになってるわよ!
本当だ

夜勤明けで30時間変な格好で寝ていたから寝グセがついてしまったんだ きっと！
それにしてもみごとに真っ平ですね！
ほら本がピッタリと乗ってしまう！
後頭部絶壁と言うのはあるけど上部が絶壁ね！
3冊乗せてもビクともしませんね
まあほんと!!
ヤカンなんかも乗るかしら？
亀有公園前派出所
どうかな？
すごい！乗った！
じゃあ今度はポットを…
ふざけるなおまえら！
人の頭をなんだと思ってるんだ！

かっこ悪いな! ハサミで まわりを 切っちまおうか!
よけい 変に なるだけよ わたしに まかせて!
ゴオオオ
なおったか?
ドライヤーも あまり ききめは ないみたい だね!
セットスプレーで 強引に かためてしまえば もう 大丈夫よ!
シュー
どう?
ピン
おおっ! いつもの頭に なった!
バサ
あっ!!

元に もどってしまったじゃないか!!
市販されているスプレーでもっとも強力なのに! 全然ダメね!
ワイヤーブラシみたいな髪の毛だからね
本人に似てガンコな髪ね
ほっとけ!
知りあいの化粧品メーカーに問いあわせてみるわ!
何か方法があるかもしれないから…
ROBOT POLICE
マドンナ化粧品
ダメだわ なん度 洗っても寝ぐせがとれないわね
コオオ…
やはり切るしかないの?

方法がないわけじゃないけれど…
どういう方法?
固定のヘアスプレーがあるのよ
ただし市販はしてない物なの特殊メイク用でね
BEAUTY S
Madonna
Aスプレーで髪形をととのえてから…
Bスプレーをその上からかけると…
そのままの形で完全にかたまるわ
さすがプロね!
もう一度Aスプレーをかければ元にもどるから
セットもなおせるわ
おおっ!なおった!
セットしたらまたBスプレーをかけるのよ

あの剛毛で七・三分けができるとは!! すごい!
使いかけだけどよかったらこのスプレーおいていくわ
どうもありがとう!おかげでたすかったわ
新製品が出たら またモニターをたのむわよ!
このヘアスタイルもさわやかでいいな!うーむ色男!
なかなか似あってますよ先輩!
ちょっと奥でヘアスタイルを研究してくる!
オシャレに目ざめちゃったわね!
角刈り以外不可能な髪だったからね今までは!

五分五分に分けてみよう
シュー
なかなかしぶい!
シュー
とんがり頭はどうだ?
これもおもしろい!
ヘアスタイルによってイメージも変わるものだな!
シュ
若者が化粧品にうつつをぬかす気もちがわかるな!
おっととかけすぎてたれてきた!
ぐわっ
今奥で先輩のさけび声がしなかった?
たしかに聞こえたわね!

大変だ!! かたまってしまった!!!
ぱっ
うわっ
自然のヘアスタイルでおかしくないわよ
ちがう 顔だ!! 顔!!
顔って!?
?
顔がかたまってしまったんだよ!
えっ!? うそ!
本当だ! スプレーが顔にこぼれてきたんだ!!
鏡を見て眉毛がかたまってるのに気づき「あっ!」とおどろいたとたんそのままの顔でかたまってしまった!

よりによって
そんな顔で
かたまって
しまうなんて…
今さら
言っても
おそい！
元に　もどす
Aスプレーを
かけてみたら？
Aスプレーだけ
使いすぎて
先に
カラになって
しまったんだ！
まいったな！
顔が
つっぱっていて
全然うごかん
しだいに
元に
もどっていく
はずよ
きっと
すいません
道を
たずねたいの
ですが？
なんだって！
ぬっ
うわっ
ごめん
なさい!!

いや別におこっているわけじゃない!
すいません! もうけっこうです!
せっかくおしえてやろうと思ってたのに!!
ぎえっ
おいどうした!?
た たすけてばけものだ〜!
くそ! みんなにげやがって!
あまり外に出ないほうがいいですよ!
奥の部屋で休んでてくださいそのうちもどるでしょう
そうするよアゴがつかれてきた!
ROBOT
POLICE

もう3時間もたったからそろそろ元に もどる頃じゃないかしら
ちょっと見てくる
うわっ
ドキッ
ぐおおっ
びっくりした! 目を あけたまま寝ている
ぐぉおお
ほんと不気味な姿ね!
ただでさえ こわい顔してるのに よけい迫力があるわよ
まだ元に もどらないみたいだ
ぐあお
じゃあ せめて かわいくして あげましょう
え!?

リボンなんかつけたらどうかしら?
ますます不気味になってくるよ!
ぐおぉ
口元がこわさの原因じゃないかな?
そうねえ…
ぐおぉ
笑顔になればいいのよこうして…
少しうごくわよ
やればやるほどわけのわからないこわさになってくるよ
むずかしいわね
ぐおぉ
うくむ何してんだおまえら…
うわっ
きゃあ
あの顔でうごくと不気味だ!こわい!
なに!?

おーい だれも いないのか?
あっ 部長が 帰って来た!!
大変 だれも いないわ!!
派出所を カラッポに しては いかんぞ!!
すいません ちょっと 先輩の ことで…
どうも 部長!
ばっ
うおっ!!
おまえ どういう 表情なんだ? おこってるのか 笑ってるのか はっきりしろ!
えっ!? なんのこと ですか?
あっ!!

なんだ こりゃ! なんで リボンなんか つけてるんだ!
特殊なヘアスプレーを顔にかけてしまい表情が かたまってしまったんです
まったくろくなことをせんヤツだ!
こら! 麗子のしわざだな!
ごめんなさい!
ごめんですんだら警察はいらん!
きさま いつも 人をおもちゃにしやがって!
先輩! おかげで口が少しうごくようになったんですから!
くそ!
そう言えば少しうごくな…
両津 いつまでおこっているんだ!
おこってませんよ! こういう表情なんです
!!
うごくと言ってもくちびるだけでアゴは全然うごかん!
その顔で外を歩くな! すぐケンカになるぞ!

笑って見ろ!
こうですか!?
わはは
全然 変化がない!
うーむ 我ながらなさけない!
ズル
ROBOT POLICE
亀有公園前派出所
あっ また落ちた!
くそ!
ポト
かなり食べづらそうですね!
口あいた状態でかまずに飲みこむんだぞ! 大変な作業だ!!
ズル
トウガラシを入れすぎた 麗子 水を くれ!
はい

グイ
きゃあ!
ぐほっ ストレートに気管に入った!! ぐえっ! ごふっ!
やだあ!! きたない!!
ゴホ
ゴホ
ゴホ
ゴホ
ゴホ
おこりながらくるしい表情するのも大変だな
じょ…じょうだん言ってる場合じゃありませんよ!
も もう少しで死ぬ所ですよ!
ゴホ
ゴホ
もう やだ こんな生活!
ソバも丸飲みで消化に悪いし全然おいしくない!
先輩! Aスプレーが使えますよ!
なんだと!

缶をあたためたらまだ わずかに液が残ってました！
さっそくつけてくれ！
強力
そういえば冷えるとスプレーの出が悪くなるわね！
これだけ残ってればなんとか…
ペタ
ペタ
やったあ！やっと元にもどった！
いやあよかったですね先輩!!
すごいききめだなそのスプレーは!!
特殊メイク用ですからね
いやあ笑顔がまぶしいな！
両ちゃんまだ前髪がかたまってるわよ
そうか！ついでになおしてくれ！
A
B
あっ！そっちは…!!

★週刊少年ジャンプ1988年7号

私《わたくし》ソバ屋の両《りょう》津《つ》ですの巻《まき》

今日は町内クリーンデーでしたね大原部長
うむ！前回のは大好評だったからな
外勤警察官と町内会がいっしょになって自分たちの街をきれいにするじつにいいアイデアだ
住民からも身近なおまわりさん・・・と親しまれますからね
いいことですよ
おや!?
あんな所に警察官の制服が!?
ちょっと止めろ！
本物ですねなぜこんな所に!?

拳銃まで入ってますよ！何かあったんですかね？
あの草野球に答えがかくされているようだ！
両さん！満塁のチャンスだ!!
おう！まかせておけ！
おいピッチャー！作戦などムダだぞ!!
どんな球でも打ってやるからな！
とにかく敬遠しろ！1点ですめばいいほうだ！
わかった！戦える相手じゃないからな！
さあこい！

あっ！
敬遠だ!!
きたない
奴め！
商店街
うおりゃあ
どけい！
じゃまだ！
うわっ！
ワシに
敬遠など
通用すると
思うのか!!
あまいぞ
ピッチャー!!
ゴン
ぐえっ

やった！大ヒット！回れ!!回れ!!
一回の表からいきなり4点だ！わははは!!
三塁を回って一気にホームだ！楽勝！
がははは
げっ部長！
どうした？ホームにとびこんでこないのか？
いや…その…じつは…ですね…
あの商店街チームが悪いんです！私はイヤだと言うのにムリやりチームに入れたりして！
それはないよ両さん！

一試合5,000円で助っ人をするって言ったじゃないか
バカ者!!そんな根も葉もないことを!!だまれ!!
ほらタッチアウトだ!
あらっ?
いやあ部長にアウトをとられるとはまいった!まいった!
こりゃ一本とられた!!
ピシャッ
部長もちょっとやって行きませんか!?
つぎの守りはピッチャーです私の代わりにひとつ!
いいかげんにせんか!こいつ!
いたたた!!
ちょっと来てみろ!
あいたた!
こんな所に制服をぬぎすてていいと思ってるのか?
べつにぬぎすてたわけじゃありませんよ!

もう4か月もこの制服を着つづけているから日光消毒をかねて干してるんです
装備品まであるぞ
だってそんな物を つけて野球なんかできませんよ! 重くて!
ぬすまれたらどうする気なんだ!?
だれもとりませんよ警官の制服なんてドイツ軍の制服と くらべればタダみたいなモンですからね! ドイツ将校の服など20万…
価格のことを言ってるんじゃない!
だって本当なんです部長!
払い下げショップではアメリカ軍の中古服が2万円もするのに警官の服など1万円くらいなんですよ! なさけないやら…
ちがう! 価格のことじゃない!
ぬすまれたら大変なことになると言ってるんだ!!
だからアメリカンポリスの服ならぬすまれもするでしょうが日本のなんかだれも興味がありませんよ!
ちょっとまて! 頭いたくなってきた!
物わかりが悪いんだからもう!
商店街

服ばかりでなく！拳銃まで置いとくとはなんだ?
どこまでズボラなんだおまえは!!
ご心配なく！ちゃんと弾だけはぬいときました ほら！
ジャラ
私でもその点は気を遣ってるんですよ えらいでしょう
とにかく野球は終了だ はやく派出所にこい！
あいたた!!!
両さんつれて行かれちゃったよ！
ピッチャーがぬけるときついなア！

ワシたちは先に現場へ行ってるおまえたちもお昼までには集まってくれ
はい わかりました!!
警視庁
警視庁
ブオオオオ
鬼は去った! 野球に行こっと!
ダメですよ先輩
今回から出席をちゃんととりますからいないとばれますよ
ずる〜
じょうだんじゃないよ! まったく
ドブさらいなんかやってらんないよちくしょう!
辞典
何もそこまでしなくてもいいだろうが!!
クリーンデー勤務の一端としておこなうのですからね

まいったな
敵もなかなか考えたな！
さぼるとあとで大目玉だからな
緊急手配犯人
こんにちは！
ソバ屋の章《あきら》じゃねえか 出前なんかたのんでないぞ
今日はお店が休みであそびに来たんですよ
そうか！ゆっくりして行け おい麗子お茶だ！
110番
すみません！
店のほうはだいぶなれたか？
はい！もう3か月になりますから
しかしいつ見てもおまわりさんてかっこいいですね
そうか！おまえは警官にあこがれていたんだな

そんなにかっこいいか警官は!?
緊急手配犯人
もちろん! 警察官になるのが小さいころの夢だったんですよ
せっかくの夢も両ちゃんを見たらくずれてしまうかもね
うるさい! 大きなおせわだ!!
あっち行ってろ!
その制服一度でいいから着てみたいんですよ
そうだ!
ちょっとまってろ!

たしか制帽と靴もあったはずだが…
ガチャ
ガチャ
あった! うーむカビだらけだ!
なんとかなるだろ!
12時に三丁目に集合だったよな!
そうです!!
ワシは直接現場に行く! ちょっとでかけてくる
ちゃんと来てくださいよ
ダメだ! 全然点が とれん!
チーム
商店街チーム 3 0 0 0
あごはずしチーム 1 2 2 3

相手のピッチャーが強すぎるよ！歯がたたん!!
あっ両さんだ！
あっ本当だ！
よく来てくれたよ！苦戦してる所なんだ！
なにせ！5,000円の前金もらってるからね！
章！制服着せてやるよ
えっ本当！
ちょっとブカブカだけどどうかな？
かっこいいぞピッタシだ！
今日一日おまえを体験警官にしてやる！
12時までに三丁目に行け！そこですばらしい特別訓練がある！ワシの代わりに行ってこい！

本当にいいのかい両さん?
ワシの代わりだからな! 両津巡査長とよばれた時大声でハイと返事するように!
あっちょっとまて!
拳銃は置いてけ!
新米がハジキをもってはいかん!
ワシのようなプロフェッショナルしかもてん!
夕方にワシが行くからな そこでおまえと入れかわる!!
くれぐれも中川や部長に会わんようにしろ! わかったな
はい
ようし野球再開だあ!!
かくごしろよおまえら! 体バラバラにしてやるぞ!!
ガッ!!
ワ
オー!

亀亀商店
書店
さいぜんす書店
くすり
ミルク
3班の我われはこの地区のドブさらいだ
町内会の人と協力してやるように!!
はい!!
両津はどこだ?
たしか来てるはずですよ
出席をとった時は返事しましたから
本当か?
なるほど出席になっている!
3班
出席
田中
両津
山田
ほかの班にまぎれてるんじゃないですか?
うちの班はドブさらいだからなその可能性がある

おーい
両津
いるか!?
両津!!
どこだ!?
はい!
パ
パンの早苗
なんだ
おまえは
?
あっ
おソバ屋さんの
章くん
だわ!
どうして
こんな所に
両さんが
服を貸して
くれて
一日体験を
させて
くれると…
あの
バカ…
身代わりを
使うとは
…
おねがい
します!
今日一日
だけ!
両さんの
代わりを
させて
ください!
今日の勤務は
大変だぞ!
夢など きっと
なくなるぞ
章くんは
警察官に
あこがれて
いるんです
参加させて
あげましょうよ
しかし…
あこがれと現実を
見る いい機会だと
思います

わかった！じゃあキミに協力してもらおう!!
ありがとうございます
さあがんばるぞ!!
ずいぶんはりきっているなあの少年は!!
ふてくされて仕事する両ちゃんより役に立つわ！
それは言えるな！
みんなごくろうだった今日の仕事は終了だ！
おつかれさまです

章くん つかれた だろう!? あこがれとは だいぶ ちがうだろ!
とんでもない! ボク今度 警察官の採用 試験受けて みようと 思います
なん だって?
こんな すがすがしい 気持ちに なれたのは ひさしぶりです
今日一日 本当に ありがとう ございました!
若さは すばらしい ですね! ボクらも 見ならわないと いけないいな
まったくだ うちの だれか・・とは 大ちがいだな
試験を受けて みるか! よし! まってるぞ
はい!
メチャ勝ちだ 32対10だよ どんなモンだ
相手チームの奴ら もう二度と ワシたちと 戦わない だろうな!
ちょうど ドブさらいが おわった所だ バッチリ!
章は・・・ あっ いた!
ガヤ ガヤ

おい章!! こっちこい! 着がえるぞ
あっ 両さん
アッチ
ガイ
こら! 何してるんだ おまえ!
あっ 部長 これには深いわけが…!!
うちのかわいい署員に何をするんだ だれだ おまえは!?
私ですよ 両津です
おまえは章くんと入れ替わったんだろうが!
はやくソバ屋にもどりなさい! ソバ屋のおやじさんにおこられるぞ!
ゴミの日
入れ替わったのは今日一日だけです! 明日から また かわいい署員ですよ! 私は!
おまえなどいらんよ! 章くんのほうがおまえの100倍は役に立つ! おまえ 明日から草野球の監督でもやればいいだろう!
青木

★週刊少年ジャンプ1988年15号

おばけ煙突が消えた日の巻

おばけ煙突《えんとつ》が
消えた日の巻《まき》
担任のゲタ先生が
オート三輪に ひかれて
入院してしまい…
臨時の先生が
ぼくらの教室に来て
くれることになった
佐伯羊子《さえきようこ》
先生です
現在 大学生で
研修を かねての
新しい先生です
みなさん
よろしく
!
どうぞ
よろしく!

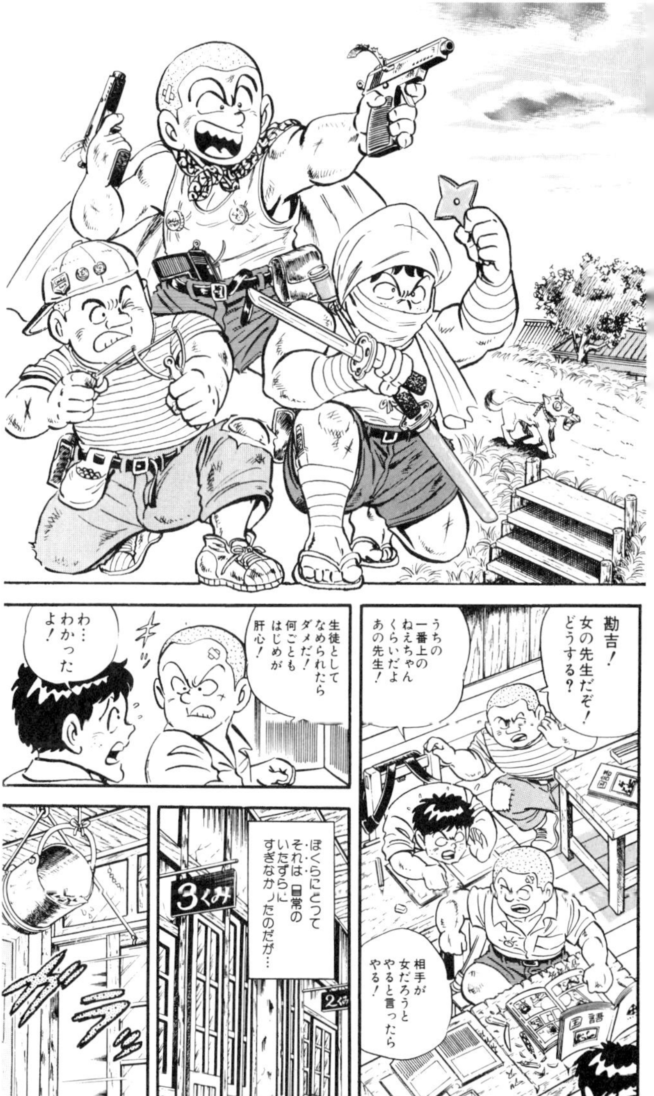
勘吉!
女の先生だぞ!
どうする?
うちの
一番上の
ねえちゃん
くらいだよ
あの先生!
相手が
女だろうと
やると言ったら
やる!
生徒として
なめられたら
ダメだ!
何ごとも
はじめが
肝心!
わ…
わかった
よ!
ぼくらにとって
それは日常の
いたずらに
すぎなかったのだが…
3くみ
2くみ

きゃあ!
やったあ
大成功!
いえ〜い!
し〜〜ん
こ こら
だれだ!?
あんな
ことをした
悪い奴
は!?
ふつうの先生なら「こら!」と怒《ど》鳴《な》り たたかれておわるいたずらのはずだったのに…
まさか泣かれてしまうとは…
ぼくにとっても
おどろくべきできごとだった!
ヘビやカエルは
やめといたほうが
いいな!
中止しよう!
うん!
あの先生
きれいだし!
やめよう
ねえちゃんより
ずっと美人だよ

こら! そこで 何を しとるか!
やばい! ハゲだ!
にげろ!
ザッ
ガッ
ガッ
こら! まて!
サ サッ
う〜む 相変わらず すばしっこい 三人組だ
まったく あの連中と きたら!
忍者漫画からヒントに ぼくら三人組は七つ道具 というのを いつももっていた むろん仲間だけの 合言葉もあった
ロープ
ビン入りの かんしゃく玉
レンズ
プラの手裏剣
ナイフ
磁石
紙せっけん
暗号が かいてある手帳
粉の入った玉子の カラで作った 煙幕
パチンコ
それらを 入れるケース
ごっそさん!
かあちゃん ちょっと あそびに 行ってくる
モグ
ムグ
ガチャ
もっと ゆっくり 食べりゃ いいのに! この子は!
よろず屋

よくかんで食べないから頭まで栄養が回らないんだよ兄ちゃんは！
ピクッ
ズズー
大きなおせわだこの野郎!!
パコ
ズッ
勘吉!! 金次郎《きんじろう》をたたくんじゃないよ！
どこにあそびに行くんだい
!?
2本の所！行ってきまーす！
ダッ
なんだい2本って？
兄ちゃんたちの暗号なんだ！わからないよ！
1本 2本 3本 4本の場所 それはあの『おばけ煙突』がその数に見える場所のことである
自転車が手に入ってからは あそびの行動が台東区ばかりでなく 墨田区《すみだく》 荒川区《あらかわく》 足立区《あだちく》と広がつた
悪い！悪い！
おそい！
ほんとだ！ここからだと2本に見える
とうちゃんの仕事で来て発見したんだ

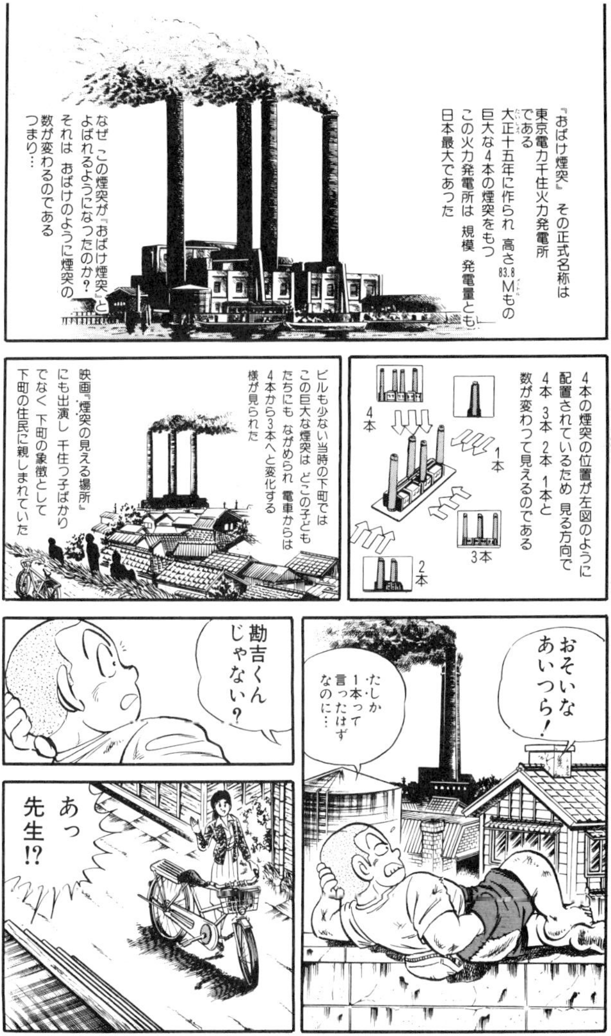
『おばけ煙突』 その正式名称は東京電力千住火力発電所である
大正《たいしょう》十五年に作られ 高さ83.8Ｍ《メートル》もの巨大な4本の煙突をもつ
この火力発電所は 規模 発電量とも日本最大であった
なぜ この煙突が『おばけ煙突』とよばれるようになったのか？
それは おばけのように煙突の数が変わるのである
つまり…
4本の煙突の位置が左図のように配置されているため 見る方向で4本 3本 2本 1本と数が変わって見えるのである
1本
4本
3本
2本
ビルも少ない当時の下町ではこの巨大な煙突は どこの子どもたちにも ながめられ 電車からは4本から3本へと変化する様が見られた
映画『煙突の見える場所』にも出演し 千住っ子ばかりでなく 下町の象徴として下町の住民に親しまれていた
おそいなあいつら！
たしか1本って言ったはずなのに…
勘吉くんじゃない？
あっ先生!?

勘吉くんのお家この近くなの？
いいえ！浅草でつくだ煮屋やってます！
よくあそびに来るんですこっちは！
従業員募集 給料3万以上 ファイトある男女望む！
先生こっちに住んでたんですか!?
緑町《みどりちょう》に伯母の家があるの研修の間間借りしているのよ
あの…バケツのしかけ作ったの…オレなんです
いつかあやまろうと思ってたんだけど…
びっくりしたわあの時…
キミたち三人組はいたずらグループなんですってね！
大学に もどってもキミたちのこと忘れないわ
わたしにとってもこの三週間は 貴重な体験だったし…
まだまだ社会人になれないなあって強く感じたもの！
えっ先生やめちゃうの!?
担任の車《くるま》先生が自宅療養をおえられ来週から学校にもどられるんですって…
今週でみんなとおわかれなの
短い間だったけどたくさんのお友だちができてうれしかったわ
たとえい・じ・わ・るな生徒でもね！勘吉くん！
ドキ

あっ もう こんな時間!?
いけない! 夕食のおかず買って行かないと!
タダで伯母の家にいられないから夕食は わたしの役目なの!
はい
じゃあ また明日ね!
夕日に消えて行く先生の姿に ぼくは急に さみしさを感じた
同時に なぜか胸の奥が熱くなつて来るのをふしぎに思つた
見たぞ! 見たぞ!
先生とふたりで何を話してたんだ勘吉!
あっ おまえら!!
ひとりだけぬけがけするなんてずるいぞ!
勘吉も先生のことが好きなんだろ! こいつっ!
ポカ
それ所じゃないんだぞバカ!
先生あと三日でやめちゃうんだ!!
えっ!?
本当かよ!

ゲ・・ゲタの奴 もうなおったのかあ! ちくしょう
自転車で 体当たりして また入院 させちゃお!
いいから 聞けよ! おまえら!
オレたち三人で 先生に してあげられる ことを考えるんだよ
クラスのみんなじゃ できないことを! 三日以内に!
佐伯羊子先生とは 今日で おわかれ です!
三週間の 短い間でしたが ごくろうさま でした
先生 どうも ありがとう! これクラスの女子 からです!
まあ きれいな お花ね どうも ありがとう!
パチパチパチパチ
男子からは 花ビンです 先生どうも ありがとう ございました
すてき! どうも ありがとう 大切に するわ!
この手紙は 勘吉たち 『三バカトリオ』から 先生に プレゼント だって!
えっ? 勘吉くん たちは?

あの三人授業おわったとたんすっとんで帰っちゃったよ
おわかれ会に出ないなんてまったく！
何かあったのかしら…
なに！勘吉が自転車に乗って行った!?
よろず屋
これから仕事で使うってのに！しょうがねえ奴だ！
ゆうべおそくまで作ってた物をはこぶのに必要なんだって！
パタン
テレビが家に来るって楽しみにしていたのにどうしてあそびに行っちゃったんだろう
まったく一番さわいでたくせに！
オリンピックがわが家で見れるなんて夢みたいだね開幕が楽しみだ！
電車で帰る時間まちがってないだろうな！
上野《うえの》で乗る列車がきまってるから大丈夫だよ！
教頭先生がそう言ってた！
よし！いそげ！

ココココオオ……
近くで見るとすごい大きさだ！
こんなに大きかったなんて…
どうする勘吉？
一度 きめたらぜったいやる！
八百屋
カッ
ヒュッ
気をつけろ！見つかったら大変だぞ!!
わかってるよ！

こら！
中に
入っちゃ
いかん！
しまった！
用意するまで
煙幕で
時間を
かせいでくれ!!
よし
まかせろ！
えい！
どうだ！
うわっ
なんだ!!
パン
パン
ゴホ
ゴホ
こら！
いたずら
坊主め!!
あいたた
勘吉
ここは
まかせろ！
行け！
ダッ
がってんだ!!
タッ
タッ
タッ
あっ!?
こ…
こら！

そんな所登るんじゃない!
おりて来るんだ!!
うわっ
上に登るほど風が強くなる!くそ!
これも計算外だ!
あっいけない!
勘吉!!ちがってるぞ!!
その煙突じゃない!!となりの煙突だ!

隅田川《すみだがわ》のほうの煙突なんだよ〜見えるのは!
その煙突だと影に かくれて全然見えないぞ〜!!
バカ野郎 もう おそい! 登りきってから そんなこと言うな!
あっ!
ピー
千住大橋
ジリリリリリリ
ガタン ガタン ガタン
勘吉くんたち とうとう姿を見せなかったけど…
あの三人が 一番 活発で印象的だったわ
上野

それにしても…
佐伯先生へ
電車が鉄橋をわたる前に右側を見て下さい。
それがぼくらのプレゼントです。
豚平《とんぺい》 珍吉 甚吉
ゴトーン ゴトーン
どういうことかしら⁉
ちくしょう もう電車が来ちゃう！
どうすればいいんだよ！
ようし 一か八かだ!!
うまく風に乗ればなんとか！
それ！
ビュン
ガッ
やった！
かかったぞ！
とびうつる気だ！ むこう側に!!
な…なんだって⁉

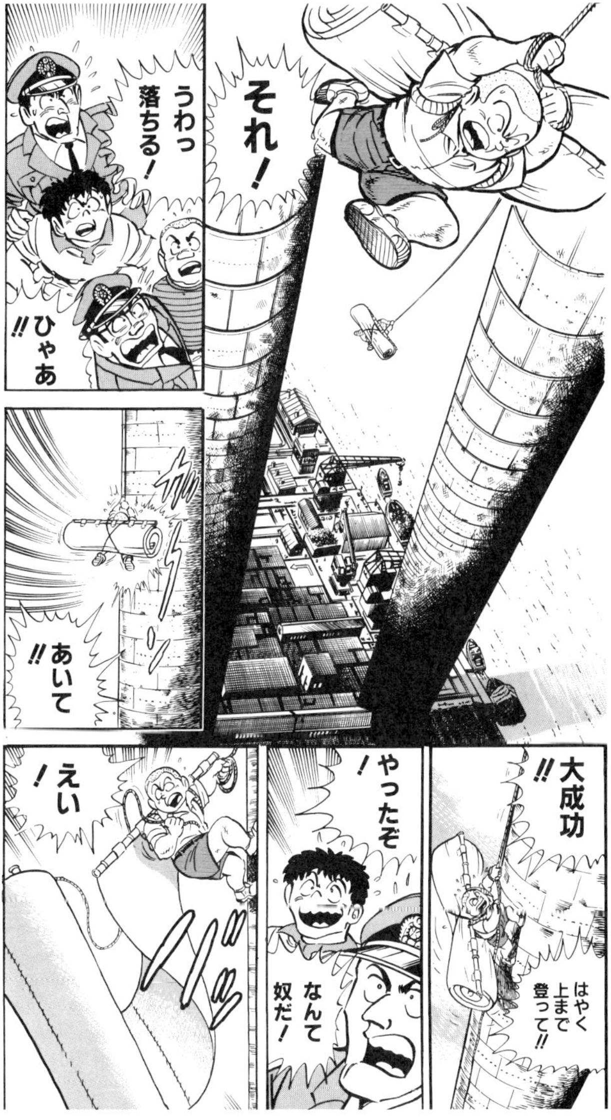
それ!
うわっ
落ちる!
ひゃあ!!
あいて!!
大成功!!
はやく
上まで
登って!!
やったぞ!
なんて
奴だ!
えい!

佐伯先生どうもありがとう!
よくやった勘吉!!!
やったあ!!
わたしのためにあの三人あんなことまでしてくれるなんて!
お別れ会でせっかく涙を見せずにいたのに…あの子たちったら!
見えてたかな? 先生

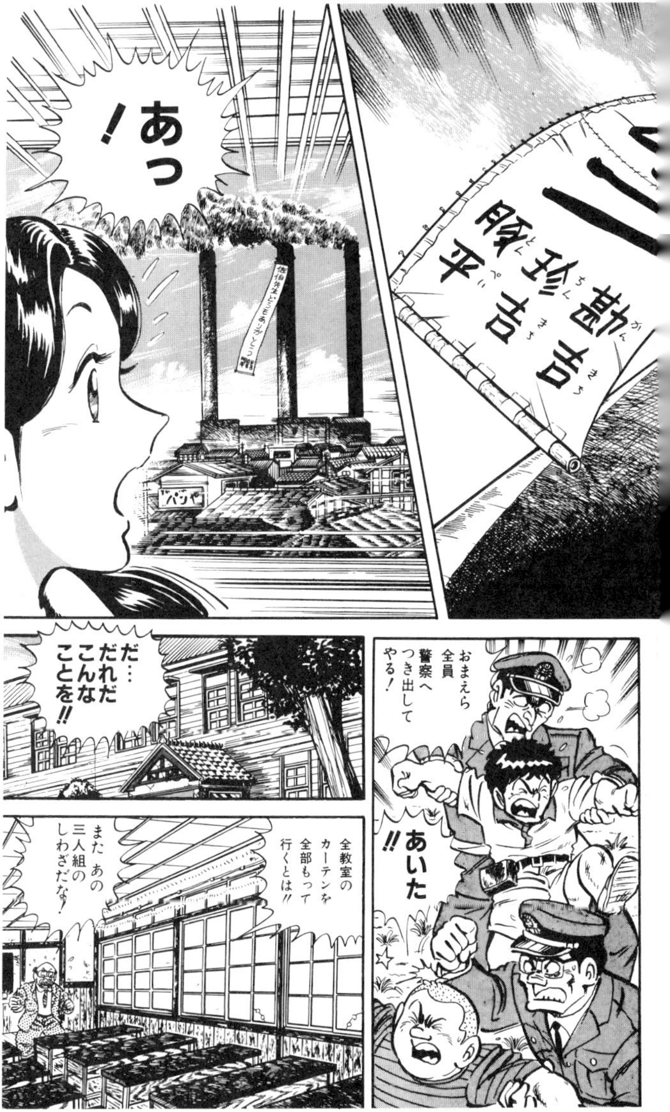

勘吉《かんきち》
珍吉《ちんきち》
豚平《とんぺい》
あっ!
佐伯先生どうもありがとう
パン屋
おまえら全員警察へつき出してやる!
あいた!!
だ…だれだこんなことを!!
全教室のカーテンを全部もって行くとは!!
またあの三人組のしわざだな!

ぼくたちは警察で怒られ 学校で怒られ
両親からも怒られ 一生分は 怒られまくった
『おばけ煙突』に 二度と近よらないという
誓約書まで書かされてしまった
東京オリンピックも ぶじおわり
季節も秋から冬へと変わり
はじめた
佐伯先生 教員試験を 受けるために 猛勉強中 だってさ！
あのメッセージ 見てくれて 本当に やって よかったな！
勘吉!! また しゃべって たな！
あっ いけねっ
!!
時間 ですよ 先生！
終了の 時間！
退院してから どうも ペースが 合わんな！
クラスに とどいた先生のハガキを見て
ぼくらは急に『おばけ煙突』が
なつかしくなり その日の午後
ご法度《はっと》を破り その場所へ行った

おかしいよね ここは3本の 場所なのに…
うーむ… 2本にしか 見えないものな!
いつも まっ黒の煙が 出てるはず なのに… ぜったい おかしいよ!
うん
近くに 行って みよう!
よし!
大衆酒場
三河屋
ドドド
はあはあ つかれた…
ここまで 来れば!
ガチャ
ぜい
ぜい
あっ!!

ガガガガ
ドドーン
ゴゴゴゴ
ドゴ
おばけ煙突が…
こわされてる…
日本最大の発電所も39年という月日に時代おくれとなりついには とりこわされることになった 下町からあの巨大で勇ましい姿は二度と見ることができなくなったのです
ぼくたちにとって ひとつの思い出が くずれて行くような気がしてなりませんでした

こちら葛飾区亀有公園前派出所⑧(完)

★週刊少年ジャンプ1988年18号

解説エッセイ「『くろうと技』にひれふす私」

里中満智子（漫画家）

「未だに自分で絵を描いているんですか？」世の〝マンガ家の実生活を知らないオジさん世代〟の人たちに、よくこう言われる。
「ベテランになると、アシスタントに指示するだけで、自分は何もしなくても作品ができあがるのでしょう？　それで印税は山ほど入ってくるし、いいですねえマンガ家は」
とんでもない。そんなマンガ家がいたらお目にかかりたい。百人に一人ぐらいは、もしかしてそういう制作方法をとっている人がいるのかも知れないが、私が知っている範囲では、ほとんどのマンガ家が新人、ベテランにかかわらず、体力のつづくかぎり自分自身の手でペンを握り、原稿に向かっている。マンガを描くというのは、物理的な時間を多大に使う苛酷な職業だ。描くことそのものが好きでなければとてもつとまらない。
好きで描いていても、疲れることはある。好きだからといって、いつも楽しく描けるわけではないし、思いどおりに表現できるわけでもない。体もこわすし、頭だって腐りそうになる。好きというだけで十年も二十年も気力を維持することは困難だ。ましてや、「同じキャラクターを」「ハイテンションを保ちながら」「読者を飽きさせず」「読者の期待を裏切らずに」描きつづけるのは、常人の気力ではない。

秋本氏は常人ではない。

常人ではないとしたら天才か？　いや少し違う。天才を乗り越える努力と気力と、真面目さと誠意に満ちあふれた演出家だと思う。

『こち亀』こと、『こちら葛飾区亀有公園前派出所』から私がうける印象は、〝こつこつと真面目に〟〝基本をはずさず〟〝マニアックなこだわり〟を〝解り易く描くサービス精神〟と〝落ちのつけ方に見る基本的正義感〟である。

前述した〝マンガが解っていないオジさんたち〟から見れば「一度キャラクターを創ってしまえば、あとは半ば自動的に仕上がっていくのだろう。それでいて毎年長者番付にのるのだから、秋本治という人は運がいいな」ということになるのだろうが、とんでもない。何ゆえに世代を越えて愛されつづけ、何ゆえに作品への信頼度を維持しつづけていられるかは、常人には解らないすさまじい努力が必要とされる。そのことは、その厳しさを察する者にしか理解できないだろう。
「どう描けば読者に読んでもらえるか」「どうすれば人気を得られるか」なんて、テクニックとして解明できればだれも苦労しない。苦労したから読んでもらえるとはかぎらない。目に見えない読者と、日夜勝負しつづけて精も根もつき果てるむなしさは、実作者にしか解らないだろう。そしてまた、そういう日々の中で反響が返ってきた時のよろこびも、作者にしか解らないだろう。いつ、どういう形で返ってくるか解らない、つかみどころのないかすかな反響を求めて、描きつづけるのがプロのマンガ家だ。
秋本氏はプロだ。頭が下がるほど徹底したプロだ。
作中に出てくる数々のマニアックな品々。それらへのこだわりと描き方には、それぞれのマニアの世界の人たちを納得させるだけの説得力があり、しかも「この方面については何にも解らない」という人たちをも引きつけてしまう解説能力がある。
おもちゃ、AV関係（アダルトビデオではなくて、オーディオ・ビジュアルの方）、車、食べ物、ｅｔｃ．…。こんなにまでこだわって描くのにはかなりの資料が必要だろうし、勉強だってしなくてはいけないだろう。それでいて毎週毎週サービス満点の世界をくりひろげつづけるのだから、体力の方は大丈夫だろうかと余計な心配をしたくなる。

『こち亀』は毎回読後感がさわやかだ。納得できる〝落ち〟のせいもあるが、一番の原因は登場人物が、みないい人間であるおかげだろう。

「はた迷惑のかたまり」のような両津だって、読んでいるとついつい「うまくいくといいが…」と思わせてしまう魅力がある。彼のもくろみが成功すれば、これはもう社会正義に反するとんでもない事なのだが、そんな社会通念をはじき飛ばしてしまう魅力がある。食べ物にたとえればキムチだ。あとでにおうと困ると思っても、ついつい手が伸びて、いつのまにかその刺激がなくてはもの足りないと思わせる強烈な味わい。しかも慣れてくるとそこはかとない甘みが、その味の深みになっているというあの〝キムチ〟だ。どこにでもいそうで、いかにも主人公になりそうで、一見誰にでも描けそうなのに、決して誰にも描けない主人公。素晴らしい魅力だ。

脇をかためるキャラクター達も、みな素直で解り易い〝いい人〟ばかりだ。憎たらしくなるほどのライバルがいない。二枚目や美人や金持ちが登場する場合、「いじわる」というパターンにあてはめれば物語の図式は整い易い。にもかかわらずこの作品に登場する二枚目、美人、金もちはみな、しんそこから〝いい人〟なのだ。こういうキャラクター配分で長くつづけていくのは大変な演出力を必要とする。私が「頭が下がる」といったのはこういう面もある。

何だかほめすぎじゃないかといわれそうだけど、そう思っているのだから仕方ない。

私は本来根が真面目で、それが表面に出てしまって「暗くて重くてダサイ」作品しか描けないのだが、それが好みなのだから仕方がない。人の作品に接する時もついつい「重み」というものに目が行ってしまう。『こち亀』とはじめて出会った時は、自分の好みにはあわないような気がしてしまった。だからあまり期待せずにパラパラとめくりはじめたのだが……「軽いフリしてニクイほどのくろうと技」にまいってしまった。フッフッフッ…ここまで気づく読者はそう居るはずはない。だてに長年マンガにつかり切っているわけじゃないのよ。ホッホッホ…。え？「とっくにみんな気付いてますよ」ですか？

掲載作品は集英社より刊行されたジャンプ・コミックス『こちら葛飾区亀有公園前派出所』第57巻（1989年4月）第58巻（同6月）第59巻（同8月）の中から、著者自らが精選して収録したものです。

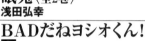

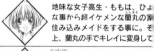

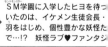

集英社文庫〈コミック版〉既刊リスト

●秋本　治
自選こち亀コレクション
こちら葛飾区亀有公園前派出所〈全26巻〉
こちら葛飾区亀有公園前派出所ミニ〈全4巻〉
こちら葛飾区亀有公園前派出所・大入袋〈全10巻〉
秋本治傑作集〈上・中・下〉
こち亀文庫①〜⑰

●浅田弘幸
浅田弘幸作品集1　蓮華
浅田弘幸作品集2　眠兎

●麻宮騎亜
BADだねヨシオくん!①②
快傑蒸気探偵団〈全8巻〉

●浅美裕子
WILD HALF〈全10巻〉

●荒木飛呂彦
魔少年ビーティー
バオー来訪者
ジョジョの奇妙な冒険①〜㊿
オインゴとボインゴ兄弟大冒険

●作・三条　陸
画・稲田浩司
監修・堀井雄二
ドラゴンクエスト ダイの大冒険〈全22巻〉

●今泉伸二
空のキャンバス〈全5巻〉

●うすた京介
武士沢レシーブ

●梅澤春人
BØY〈全20巻〉

●江川達也
まじかる☆タルるートくん〈全14巻〉

●えんどコイチ
死神くん〈全8巻〉
ついでにとんちんかん〈全6巻〉

●作・真倉　翔
画・岡野　剛
地獄先生ぬ〜べ〜〈全20巻〉

●荻野　真
孔雀王〈全11巻〉
孔雀王―退魔聖伝―〈全7巻〉
夜叉鴉〈全6巻〉

●奥　浩哉
変〈全9巻〉

●作・写楽麿
画・小畑　健
人形草紙あやつり左近〈全3巻〉

●作・城アラキ
画・甲斐谷忍
監修・堀　賢一
ソムリエ〈全6巻〉

●かずはじめ
MIND ASSASSIN〈全3巻〉
明稜帝梧桐勢十郎〈全6巻〉
かずはじめ作品集1　遊天使
かずはじめ作品集2　Juto
かずはじめ作品集3　0-Game

●桂　正和
ウイングマン〈全7巻〉
超機動員ヴァンダー
プレゼント・フロムLEMON
電影少女〈全9巻〉

●作・鏡　丈二
画・金井たつお
ホールインワン〈全8巻〉

●ガモウひろし
とってもラッキーマン〈全8巻〉

●きたがわ翔
19〈NINETEEN〉〈全7巻〉
ホットマン〈全10巻〉

●桐山光侍
B.B.フィッシュ〈全9巻〉
NINKU―忍空―〈全6巻〉

●車田正美
風魔の小次郎〈全6巻〉
男坂〈上・下〉
聖闘士星矢〈全15巻〉
雷鳴のZAJI

●作・寺島　優
画・小谷憲一
あかね色の風
テニスボーイ〈全9巻〉

●許斐　剛
COOL〈全2巻〉

●佐藤　正
燃える!お兄さん〈全12巻〉

●柴田亜美
自由人HERO〈全8巻〉

●作・城アラキ
画・志水三喜郎
監修・堀　賢一
新ソムリエ 瞬のワイン〈全6巻〉

●新沢基栄
3年奇面組〈全4巻〉
ハイスクール!奇面組〈全13巻〉

●鈴木　央
ライジング インパクト〈全10巻〉

●高橋和希
遊☆戯☆王〈全22巻〉

●高橋陽一
キャプテン翼〈全21巻〉
キャプテン翼
キャプテン翼 ―ワールドユース編―〈全12巻〉
ROAD TO 2002〈全10巻〉

●高橋よしひろ
エース!〈全6巻〉
銀牙―流れ星 銀―〈全10巻〉
白い戦士ヤマト〈全14巻〉

●武井宏之
仏ゾーン〈全2巻〉

集英社文庫（コミック版）

こちら葛飾区亀有公園前派出所《かつしかくかめありこうえんまえはしゆつじょ》 8

1996年 8 月18日　第 1 刷
2009年 7 月31日　第12刷

定価はカバーに表示してあります。

著　者　秋《あき》 本《もと》 治《おさむ》

発行者　太田富雄

発行所　株式会社 集英社
東京都千代田区一ツ橋 2 − 5 −10
〒101-8050
電話　03（3230）6251（編集部）
03（3230）6393（販売部）
03（3230）6080（読者係）

印　刷　図書印刷株式会社

ISBN4-08-617108-2 C0179